KARIM KHOURY
É HORA DO SHOW

TÉCNICAS PARA ELEVAR SEUS TREINAMENTOS A OUTRO PATAMAR

www.dvseditora.com.b
São Paulo, 2015

É HORA DO SHOW
Técnicas para Elevar seus Treinamentos a Outro Patamar

Copyright© DVS Editora 2015
Todos os direitos para a território brasileiro reservados pela editora.

Nenhuma parte deste livro poderá ser reproduzida, armazenada em sistema de recuperação, ou transmitida por qualquer meio, seja na forma eletrônica, mecânica, fotocopiada, gravada ou qualquer outra, sem a autorização por escrito do autor.

Capa: Grasiela Gonzaga / Spazio Publicidade
Diagramação: Konsept Design & Projetos

```
        Dados Internacionais de Catalogação na Publicação (CIP)
               (Câmara Brasileira do Livro, SP, Brasil)

        Khoury, Karim
            É hora do show : técnicas para elevar seus
        treinamentos e outro patamar / Karim Khoury. --
        São Paulo : DVS Editora, 2015.

            ISBN 978-85-8289-112-4

            1. Carreira profissional - Administração
        2. Coaching 3. Desenvolvimento pessoal 4. Pessoal -
        Treinamento 5. Liderança I. Título.

 15-10307                                         CDD-658.3124
              Índices para catálogo sistemático:

            1. Coaching : Administração de empresas
                  658.3124
```

Sumário

1. Introdução 1
2. Definição e objetivos do treinamento 3
3. Abordagens de treinamento 5
4. O treinamento é a solução? 7
5. Levantamento de necessidades 9
6. O perfil de aprendizagem dos participantes 11
7. O que vimos até aqui 13
8. Objetivo instrucional: definição 15
9. Dois tipos de conhecimento: declarativo e procedimental 19
10. Como criar um ambiente favorável à aprendizagem 21
11. Os seis princípios universais de pesquisas sobre treinamento 27
12. *Feedback* *31*
13. Como lidar com comportamentos difíceis 39
14. É hora do show: a arte da facilitação 45
15. Atividades "quebra-gelo" 69
16. A avaliação 79
17. Palavras finais 89
18. Bibliografia 93

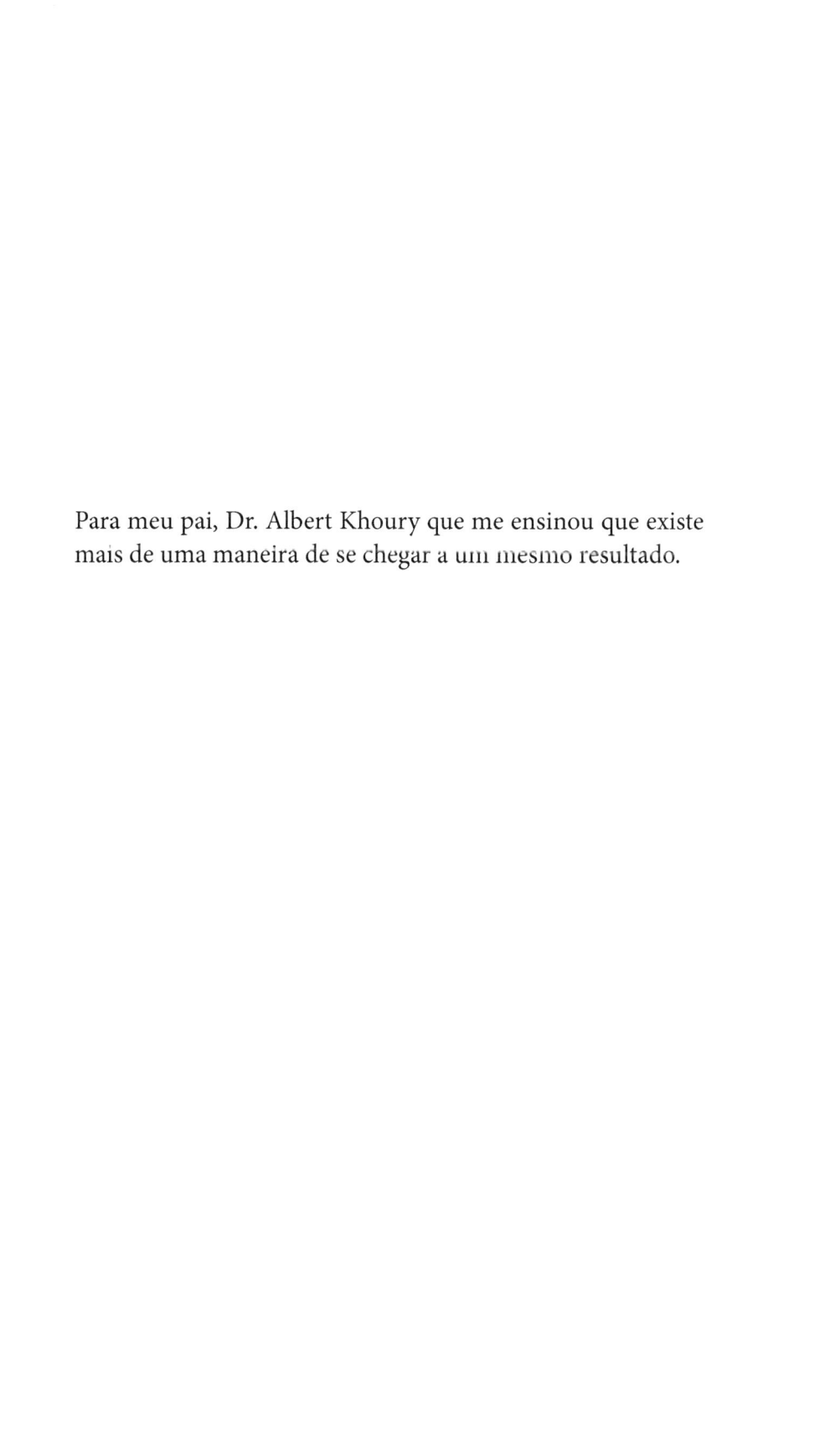

Para meu pai, Dr. Albert Khoury que me ensinou que existe mais de uma maneira de se chegar a um mesmo resultado.

*Sua missão não é transmitir informações,
mas transformar as pessoas.*

STOLOVITCH AND KEEPS[1]

Introdução

Caro leitor, sei que seu tempo é precioso, e imagino que tenha uma lista de publicações para ler. Em respeito a você, optei por escrever um livro objetivo, com linguagem acessível, simples, e com fundamentação teórica.

Seja você um facilitador ou instrutor profissional (considero as palavras facilitador e/ou instrutor como sinônimos) ou uma pessoa que deseja ingressar na área de treinamento e desenvolvimento, aqui encontrará conceitos úteis, baseados em sólidos estudos. Com eles, poderá aperfeiçoar o seu trabalho, além de identificar e praticar estratégias de treinamentos bem-sucedidos. Tudo para que sua prática ganhe mais brilho.

Você verá, ao longo do livro, que para se ministrar um treinamento bem-sucedido, o trabalho tem início muito antes da apresentação em si. O ciclo de treinamento envolve a definição dos objetivos, o levantamento de necessidades, o planejamento e a preparação dos materiais e, enfim, a apresentação e facilitação. O ciclo só é encerrado quando fazemos a avaliação do desempenho dos participantes e do próprio facilitador.

Inseri citações inspiradoras, e acrescento uma bibliografia caso você queira aprofundar seu aprendizado. Boa leitura!

---

1 – STOLOVITCH, H. D.; KEEPS, E. J. *Informar não é treinamento*. Rio de Janeiro: Qualitymark Editora Ltda., 2011. p. 21.

*Primeiro saber, depois agir
e então realmente saber.*

BISHR AL HAFIFI[1]

Definição e objetivos do treinamento

Existem várias definições para treinamento. Usarei aqui o conceito como impulsionador de transformação. Como palavras significam coisas diferentes para pessoas distintas, é essencial definir alguns conceitos:

Treinamento[2]: processo que visa aperfeiçoar conhecimentos, habilidades, atitudes e/ou comportamentos em uma pessoa, para realizar uma tarefa ou alcançar um objetivo. O treinamento almeja melhorar o desempenho.

Aprender: mudar. O propósito do treinamento é permitir que as pessoas aprendam, mudem e melhorem os seus desempenhos.

Treinamento centrado no participante baseado no desempenho[3].

---

1 – BUCHSBAUM, P. E. L. (pesquisa e seleção). *Frases geniais*. Rio de Janeiro: Ediouro, 2004. p. 63.

2 – Definição de Treinamento da ATD (*Association for Talent Development*):

3 – Conceitos apresentados por STOLOVITCH, H. D.; KEEPS, E. J. *Informar não é treinamento*. Rio de Janeiro: Qualitymark Editora Ltda., 2011. p. 14-21.

Centrado no participante: um treinamento que leva em conta as necessidades e características do público a que se destina.

Baseado no desempenho (ou na *performance*): um treinamento que cria oportunidades para que os participantes possam agir e alcançar resultados observáveis, gerando transformação.

Saber e não fazer, ainda não é saber.

Lao-Tsé[1]

Abordagens de treinamento

Existem várias abordagens para gerar aprendizado. A mais comum é o treinamento receptivo no qual o participante recebe informações e, a partir delas, espera-se que ele faça as conexões e adapte o seu conhecimento prévio a novas circunstâncias. Como refletem Stolovitch e Keeps, embora seja o mais empregado, deveria ser o menos utilizado. "Essencialmente, trata-se de transmitir informações e *informar não é treinamento*[2]".

Quero ressaltar que esse tipo de treinamento tem o seu valor, apesar de meu objetivo não ser o de me aprofundar nele. A abordagem de transmitir informações é útil para criar consciência, informar e, em certos casos, gerar motivação. Este tipo de treinamento é adequado quando o participante está automotivado. Se ele tiver um sólido conhecimento sobre o assunto exposto, as novas informações serão suficientes para criar conexões que melhorem seu desempenho.

---

1 – http://pensador.uol.com.br/frase/NTUxMzI1/

2 – STOLOVITCH, H. D.; KEEPS, E. J. *Informar não é treinamento*. Rio de Janeiro: Qualitymark Editora Ltda., 2011. p.157.

Um dos maiores desafios dos profissionais da educação é o de sair da abordagem informativa, de "despejo de informações", para adotar um modelo no qual o participante tenha uma presença ativa na aprendizagem, em vez do padrão passivo de: "o instrutor fala e o participante escuta". Como lembra Mel Silberman[3]: "Depois de um tempo, os participantes geralmente esquecem uma ótima apresentação, mas raramente esquecem uma ótima atividade." A ideia do livro é apresentar estratégias para que o participante tenha cada vez mais um papel ativo na aprendizagem. E por que adotar esta estratégia?

- Quanto mais atividades os participantes fazem, mais eles aprendem.
- Se as atividades forem significativas, estiverem ligadas a um determinado desempenho, e se forem relevantes para o participante, ele tende a reter melhor (e por mais tempo) o conhecimento.
- O participante ficará mais engajado no processo de aprendizagem.

---

3 - SILBERMAN, M. *Unforgettable experiential activities*. San Francisco: Pfeiffer, 2010. p.1.

> *Ninguém vai trabalhar para fazer um mau trabalho, mas a estrutura do sistema pode não permitir que um bom trabalho seja feito. Se a administração cair na armadilha da culpa, poderá despedir a pessoa que foi responsabilizada e contratar outra – que, talvez, não tenha um desempenho melhor. É a estrutura do sistema que cria os resultados. Para obter resultados melhores, mude a estrutura do sistema.*
>
> O'CONNOR E MC DERMOTT[1]

O treinamento é a solução?

Como dissemos, o objetivo básico do treinamento é melhorar o desempenho do participante, visando ao alcance de um determinado resultado. Para seu treinamento ser bem-sucedido, você precisa se certificar de que ele é a solução ideal para a situação apresentada.

Quando observamos um desempenho ruim, tendemos a pensar: "Falta treinamento" ou "Este problema pode ser resolvido com treinamento". Muitas vezes esse raciocínio é precipitado, e nem sempre o treinamento é a solução para o problema. Em muitos casos, as pessoas já sabem como desempenhar suas tarefas.

Se uma pessoa não apresenta um bom desempenho, um treinamento *pode* contribuir para melhorá-lo, desde que a raiz do problema esteja relacionada à falta de habilidade ou conhecimento por parte dessa pessoa.

---

[1] – O'CONNOR, J.; MCDERMOTT, I. *The Art of Systems* – thinking essential skills for creativity and problem solving. London: Thorsons, 1997. p. 80.

Quando o mau desempenho é resultado de outros fatores como, por exemplo, problemas motivacionais ou questões estruturais (que não estão sob o controle do indivíduo), a não ser que estes problemas sejam resolvidos, o treinamento não será a solução. Veja os exemplos a seguir:

Motivação: a pessoa tem a habilidade para realizar uma tarefa, mas é impedida de executá-la de forma adequada por algum motivo.

Fatores estruturais: equipamentos que funcionam mal, uso de ferramentas ou materiais inadequados, *feedback* insuficiente, falta de informação ou recursos, escolha inapropriada de determinada pessoa para realizar uma tarefa, problemas nos sistemas de TI (tecnologia da informação) ou no processo, entre outros.

Para encontrar a resposta certa você deve fazer a pergunta certa.

ANÔNIMO[1]

Levantamento de necessidades

A mudança de comportamento é um processo que envolve o uso de várias soluções ao longo do tempo. O treinamento é uma das alternativas para melhorar o desempenho e gerar aprendizado e mudança. A fim de assegurar que você vai oferecer a solução mais adequada a seu público, você poderia fazer perguntas ao seu cliente com o objetivo de identificar as necessidades do grupo com o qual vai trabalhar.

O levantamento de necessidades é uma etapa essencial para ministrar um treinamento bem-sucedido porque, caso não o faça, a solução sugerida por você pode não se aplicar à realidade do cliente. Dependendo da cultura da empresa, você corre o risco de ouvir dos participantes: "Eu adorei o treinamento, mas aqui não dá para aplicar nada disso". (Poucas declarações são tão frustrantes quanto essa.) Esse tipo de queixa pode ser evitada se você fizer as perguntas certas antes de oferecer o treinamento. Considere fazer perguntas sobre:

Participantes: Quais são as principais características deles? O grupo tem interesse no tema? Ele deveria ter interesse? Como eles trabalham? Normalmente sozinhos ou em equipe?

---

1 – BUCHSBAUM, P. E. L. (pesquisa e seleção). *Frases geniais*. Rio de Janeiro: Ediouro, 2004. p.71.

Experiência: Qual o nível de conhecimento dos participantes sobre o tema? Eles já tiveram algum treinamento sobre o mesmo assunto no passado? Em caso positivo, qual foi o programa do último treinamento?

Resultados desejados: Quais habilidades vocês desejam aperfeiçoar para que os participantes tenham um desempenho melhor? Ou simplesmente: "Qual o desempenho esperado ao final do treinamento?"

Cultura da organização: Quais são os comportamentos valorizados na organização? A empresa tem algum código de ética?

*É melhor perguntar e parecer ignorante
do que permanecer ignorante.*

PROVÉRBIO CHINÊS[1]

O perfil de aprendizagem dos participantes

Lembre-se de que quando falamos em treinamento centrado no participante, a "estrela do show" é o público e não o facilitador. Para melhor adequar o treinamento às necessidades dos participantes, é útil fazer perguntas diretamente a eles relativas a seus perfis de aprendizagem. Considere fazer perguntas do tipo:

1. Quais estratégias de aprendizagem você gostaria que estivessem presentes no treinamento para ajudá-lo a aprender _____ ?

    Dinâmicas

    Storytelling (a arte de contar histórias)

    Estudos de casos

    Trechos de filme

---

1 – BUCHSBAUM, P. E. L. (pesquisa e seleção). *Frases geniais*. Rio de Janeiro: Ediouro, 2004.p.71

Músicas

Guias de referência rápida

Role Play (desempenho de um papel para praticar um comportamento)

Jogos

Apresentação de slides com *powerpoint*

Simulações

Outros: _____

2. O que você não gostaria que estivesse presente no treinamento?
3. O que poderia te ajudar na preparação para o treinamento?
4. Você está disposto a ler algum material antes do treinamento?
5. Com que antecedência você precisa receber o material?
6. De quanto tempo você dispõe para se preparar?
7. Você gostaria de acrescentar algo?

 Algumas dicas

Em alguns casos é útil ministrar um treinamento a uma turma piloto. Isso permite fazer ajustes se for necessário. O ideal é ter uma amostragem do seu público real.

Verifique se haverá algum participante deficiente para que você possa adequar suas estratégias de aprendizagem a ele.

Tenha em mente que se *você não estiver obtendo o resultado que deseja, é preciso mudar sua estratégia.* Pense no ponto de vista dos participantes, pois eles são o foco: se você adora usar trechos de filmes nos treinamentos, mas seu público não gosta de assisti-los, mude a estratégia. Ponto final.

> *O conhecimento é um tesouro,*
> *mas a prática é a chave para ele.*
>
> THOMAS FULLER[1]

O que vimos até aqui

Vou repetir as informações vistas até aqui intencionalmente. A repetição é um dos recursos para sedimentar o conhecimento, além de permitir que você encaixe os pedaços de informação em um todo integrado.

Do ponto de vista da memorização, a mente consciente só consegue lidar com sete (dois a mais ou a menos) segmentos de informação ao mesmo tempo[2]. Sendo assim, apresentar um grande número de segmentos de informações a um grupo é ineficiente.

Até aqui as principais ideias apresentadas foram:

1. O treinamento é um processo que almeja melhorar o desempenho de uma pessoa.

2. O treinamento centrado no participante com base no desempenho cria oportunidades para que o participante possa agir e alcançar resultados observáveis, e isso gera transformação.

---

1 – BUCHSBAUM, P. E. L. (pesquisa e seleção). *Frases geniais*. Rio de Janeiro: Ediouro, 2004. p. 63.

2 – O'CONNOR, J.; SEYMOUR, J. *Treinando com a PNL*: recursos da programação neurolinguística para administradores, instrutores e comunicadores. São Paulo: Summus editorial: 1996. p. 67.

3. Existem várias abordagens para ministrar um treinamento, o foco deste livro é apresentar um modelo no qual o participante tem presença ativa na aprendizagem, com o uso de atividades significativas e relevantes.

4. Se uma pessoa não apresenta um bom desempenho, um treinamento *pode* contribuir para melhorá-lo, desde que a raiz do problema esteja relacionada à falta de habilidade ou conhecimento.

5. O levantamento de necessidades é uma etapa essencial para ministrar um treinamento bem-sucedido, a fim de garantir uma solução que possa ser implementada pela organização ou pelo grupo.

6. Para melhor adequar o treinamento às necessidades dos participantes é útil fazer perguntas diretamente a eles relativas a seus perfis de aprendizagem.

Se você se certificou de que os participantes precisam melhorar seus próprios desempenhos, e a raiz do problema é a falta de conhecimento ou habilidade; se você fez um levantamento de necessidades de treinamento levando em conta o perfil de aprendizagem do grupo; assumimos, a partir deste ponto, que o treinamento é a solução!

*Quando se navega sem destino,
nenhum vento é favorável.*

SÊNECA[1]

Objetivo instrucional: definição

Podemos entender objetivo instrucional como comportamentos mensuráveis e observáveis que esperamos que nosso público demonstre depois de um treinamento bem-sucedido. Ele é útil para avaliar se estamos alcançando o resultado desejado ou não. Além disso, serve como guia para selecionar o método de aprendizagem adequado para atingir um resultado. Quando mal formulado, pode arruinar um programa de treinamento. Veja os exemplos abaixo:

Objetivo instrucional (inadequado): Ao final desta etapa, o participante estará apto a entender a importância de lavar as mãos antes de tocar num recém-nascido.

Esse objetivo está mal formulado porque não é observável. O que não pode ser observado não pode ser medido. Como é possível, nesse caso, observar se o participante entendeu a informação, e se é capaz de aplicá-la? Da maneira como foi formulado, o objetivo não permite que o instrutor observe o que foi

---

1 – http://pensador.uol.com.br/frase/MTAyMzI/

proposto. O participante também não tem a oportunidade de demonstrar o comportamento desejado.

Objetivo instrucional (adequado): Ao final desta etapa, o participante estará apto a explicar por que ele precisa lavar as mãos, e demonstrar como lavá-las corretamente, antes de tocar num recém-nascido.

Quando houver objetivos relativos à segurança, é útil criar duas construções. No exemplo acima, a primeira construção serve para confirmar a compreensão do participante sobre o assunto tratado (explicar por que ele precisa lavar as mãos) e, a segunda construção serve para praticar o que deve ser aprendido (demonstrar como lavar as mãos corretamente).

Dicas para escrever objetivos instrucionais:

- Evite verbos que não descrevam um comportamento observável do tipo: entender, conhecer, saber, pensar, entre outros.
- Os objetivos instrucionais devem ser específicos, mensuráveis e observáveis.
- Seja simples.
- Para ajudar a memorização sobre como escrever um objetivo instrucional, responda a pergunta: Quem vai fazer o quê, quando e com qual desempenho? No exemplo acima: Você será capaz de demonstrar como lavar as mãos corretamente ao final desta explicação 100% das vezes.

Em 1956, o psicólogo Benjamin Bloom fez uma classificação com uma lista de verbos que indicam diferentes níveis de aprendizagem, conhecida como a Taxonomia de Bloom. Em 2001, ela foi revisada. Essa classificação é útil para definirmos os objetivos instrucionais, o nível de aprendizagem que queremos alcançar e selecionarmos as atividades mais adequadas para esse fim. Os níveis de aprendizagem têm diferentes complexidades. Por exemplo, *recitar* uma poesia é uma habilidade menos complexa do que *compor* uma poesia. Use a tabela a seguir para ajudá-lo a redigir os objetivos instrucionais:

TAXONOMIA DE BLOOM (REVISADA)[1]

LEMBRAR É habilidade de lembrar informações. O participante consegue se lembrar destas informações?	Verbos: Citar, Definir, Denominar, Descrever, Enumerar, Identificar, Listar, Reproduzir, Rotular, Recitar.
COMPREENDER É a habilidade de compreender e dar significado ao conteúdo. O participante consegue explicar ideias e conceitos?	Verbos: Argumentar, Distinguir, Explicar, Exemplificar, Interpretar, Ilustrar, Parafrasear, Reformular, Reescrever, Revisar.
APLICAR É a habilidade de executar o que foi aprendido em uma nova situação. O participante consegue aplicar a informação em uma nova situação?	Verbos: Aplicar, Alterar, Completar, Demonstrar, Dramatizar, Empregar, Escolher, Modificar, Preparar, Produzir, Programar, Operar, Selecionar, Usar.
ANALISAR É a habilidade de subdividir o conteúdo em partes para e estabelecer relações entre elas. O participante consegue fazer uma distinção entre diferentes partes?	Verbos: Analisar, Classificar, Comparar, Contrastar, Distinguir, Diferenciar, Examinar, Relacionar, Selecionar, Separar, Subdividir, Discriminar.
AVALIAR É a habilidade de julgar com base em um critério. O participante consegue justificar uma posição ou decisão?	Verbos: Apoiar, Argumentar, Avaliar, Concluir, Defender, Escolher, Interpretar, Julgar, Justificar, Recomendar, Selecionar, Validar.
CRIAR É a habilidade de agregar e juntar as partes para formar um novo todo. O participante consegue criar um novo produto ou um novo ponto de vista?	Verbos: Compor, Conceber, Construir, Criar, Desenvolver, Formular, Inventar.

Eixo vertical: MENOR NÍVEL DE COMPLEXIDADE → MAIOR NÍVEL DE COMPLEXIDADE

---

2 – Adaptado de: *Revised Bloom's Taxonomy*. http://pcs2ndgrade.pbworks.com
 BIECH, E., *Training & Development for Dummies*. Hoboken, NJ: John Willey & Sons, Inc., 2015. p. 69.

*Muito mais fácil dito (declarativo)
do que feito! (procedimental)*

Keeps e Stolovitch[1]

Dois tipos de conhecimento: declarativo e procedimental

Lembre-se de alguém que sabe fazer algo excepcionalmente bem, mas que não tem habilidade de treinar outras pessoas para fazerem a mesma coisa. A sua tia Cecília pode, por exemplo, fazer um delicioso bolo de chocolate, entretanto, ela não consegue te passar a receita exata, pois coloca os ingredientes "a olho".

O conhecimento declarativo é aquele que nos permite falar coisas, ou seja, é a habilidade de nomear, explicar e descrever algo. Exemplo: Paris é a capital da França.

O conhecimento procedimental é aquele que nos permite fazer coisas. Exemplo: andar de bicicleta.

Obtemos estes dois tipos de conhecimento de forma distinta. A maior parte do que executamos foi adquirida sem palavras, por meio de tentativa e erro e, com o tempo, atingimos a competência necessária.

É essencial diferenciar o "saber" do "fazer". A memorização de conceitos (o saber) não permite *necessariamente* que uma pessoa consiga executar

---

1 – STOLOVITCH, H. D.; KEEPS, E. J. *Informar não é treinamento*. Rio de Janeiro: Qualitymark Editora Ltda., 2011. p.46.

uma tarefa. Da mesma forma, o fato de um indivíduo conseguir realizar uma ação (o fazer) não significa *necessariamente* que ele seja capaz de estruturar o conhecimento para que outras pessoas aprendam com ele.

A confusão entre esses conceitos traz sérias consequências para a aprendizagem. Como observam Keeps e Stolovitch: "Pesquisas sobre o aprendizado nos informam que aquilo que aprendemos declarativamente não pode ser facilmente transformado em conhecimento procedimental, a menos que tenhamos um conhecimento procedimental similar. O inverso também é verdadeiro. O conhecimento procedimental não é facilmente convertido em procedimento declarativo"[2].

Se a conversão do conhecimento declarativo para o procedimental fosse fácil, haveria, por exemplo, um número muito maior de pessoas saudáveis. Muitos sabem o que é preciso fazer para ter uma melhor qualidade de vida, entretanto, poucos colocam em prática esse conhecimento.

Como facilitador, dependendo do seu objetivo, você precisa definir as informações que os participantes devem memorizar (saber) e as que eles têm que (fazer) ou ambas.

Dois tipos de conhecimento	
DECLARATIVO É a habilidade de nomear, explicar e decrever algo	**PROCEDIMENTAL** É a habilidade de fazer coisas
Saber coisas	Fazer coisas

---

2 - STOLOVITCH, H. D.; KEEPS, E. J. *Informar não é treinamento*. Rio de Janeiro: Qualitymark Editora Ltda., 2011. 46-47.

> *Prefiro divertir as pessoas na esperança de que elas aprendam, do que ensinar as pessoas na esperança de que elas se divirtam.*
>
> WALT DISNEY[1]

Como criar um ambiente favorável à aprendizagem

As pesquisas de Malcolm Knowles, um dos líderes no estudo da aprendizagem de adultos, define que os participantes aprendem melhor quando são respeitados os seguintes princípios:

Disposição: quando eles identificam como vão se beneficiar do conteúdo proposto. Nesse caso, a tendência é ficarem mental e emocionalmente receptivos ao aprendizado.

Experiência: quando o aprendizado e as atividades integram o que eles já sabem.

Autonomia: quando participam ativamente no treinamento e contribuem para o próprio aprendizado e dos outros. Em outras palavras, quanto mais eles fizerem as atividades sugeridas e contribuírem com o grupo, mais aprenderão.

---

1 – O'CONNOR, J.; SEYMOUR, J. *Treinando com a PNL*: recursos da programação neurolinguística para administradores, instrutores e comunicadores. São Paulo: Summus editorial, 1996. p. 72.

Ação: quando são capazes de colocar o conhecimento em "ação", em prática, assim que retornam ao trabalho.

Para conferir se o seu treinamento contempla estes princípios, responda as seguintes perguntas sobre os participantes:

- Eles sabem quais são os benefícios do que estão aprendendo?
- Eles terão atividades e conteúdos que se integrem ao que já sabem?
- Eles têm papel ativo na aprendizagem?
- Eles sabem como aplicar imediatamente o conhecimento adquirido?

Qualquer que seja a idade das pessoas a serem treinadas por você, para que elas aprendam melhor, crie um ambiente favorável à aprendizagem. Isto contribui para engajá-las ativamente no processo.

Estratégias para criar um ambiente favorável

Respeito

Faça com que os participantes se sintam respeitados. Dê a eles liberdade para expressarem diferentes opiniões e fazerem perguntas. Ao dar um *feedback* a alguém, lembre-se de transmitir respeito com as suas palavras, os seus gestos e seu tom de voz.

Segurança

A base da aprendizagem é a segurança. É pouco provável que os participantes se envolvam nas atividades se não se sentirem seguros. Muitos temem o desconhecido e a possibilidade do erro. Ofereça espaço para que errem em um ambiente seguro. Aprender significa mudar. Para praticarem uma nova habilidade, muitas vezes, terão que sair de suas zonas de conforto, o que pode gerar insegurança. Transmita a seguinte mensagem: o treinamento é um local adequado para testar e errar com segurança. Se alguns tiverem medo do ridículo, vale lembrar a frase: "o que acontece no grupo fica no grupo".

Relevância

Demonstre como o conteúdo do treinamento pode beneficiá-los, utilizando exemplos reais. Mencione, se for o caso, o impacto positivo do treinamento nas vidas deles ou fale sobre o impacto que causou na sua própria vida.

Credibilidade

Transmita credibilidade para o grupo. Isso significa estar preparado para o treinamento. A turma percebe logo quando o instrutor não tem preparo, e isso pode significar a perda de confiança e a falta de cooperação dos participantes.

Fale a verdade para a turma. Não procure estar certo o tempo todo. Se você não souber uma resposta, reconheça que não sabe, pesquise-a e dê um retorno rápido a quem te fez a pergunta.

Tenha congruência entre o seu discurso e as suas ações. Faça o que você quer ensinar e não apenas fale. Esta é a forma mais eficiente de criar credibilidade.

Se você não acreditar no material que está apresentando, é pouco provável transmitir credibilidade aos participantes. Se discordar das ideias apresentadas, ou de parte delas, talvez seja necessário alterar o conteúdo.

Reconhecimento

Crie oportunidades para os participantes compartilharem a experiência e o conhecimento deles com o grupo. Favoreça os diálogos e agradeça as contribuições.

Responsabilidade

Os participantes aprendem melhor se assumem a responsabilidade pelos próprios aprendizados. Lembre-os da responsabilidade deles na aprendizagem: quanto mais fizerem e contribuírem, mais aprenderão. Os treinamentos tendem a ser mais eficazes quando buscados por livre e espontânea vontade.

Estilo e o modo de apresentação

Cada um tem um estilo de aprendizagem preferido. Alguns gostam mais de ler; outros, de ouvir. Há aqueles que preferem atividades que movimentem o corpo e, também, outros que adoram "colocar a mão na massa". Utilize diversos recursos para promover a aprendizagem: imagens, músicas, trechos de filmes, discussão em grupo, estudos de caso ou mesmo convidar outro profissional para apresentar um tema. Lembre-se de variar o estímulo regularmente: usar um mesmo recurso à exaustão, mesmo que ele seja muito bom, pode ser cansativo.

Atividades planejadas de acordo com o público

Ao escolher as atividades de um treinamento, tenha em mente o impacto que elas terão no público. O que pode funcionar para um grupo de pessoas pode não funcionar para outro. Uma turma de vendedores, por exemplo, talvez não aprenderia bem com uma palestra de oito horas e com pouca interação.

Movimento físico

Inclua movimentos físicos durante seu treinamento. Ficar sentado horas a fio não contribui para a aprendizagem. Crie exercícios para os participantes se movimentarem ao longo do processo.

Identifique as necessidades do seu grupo

Fique atento à linguagem não verbal da turma (gestos, posturas, expressões faciais) que pode indicar se os participantes estão cansados, com fome, ansiosos etc. Antes de tirar conclusões precipitadas, teste sua suposição com uma pergunta: "Estou vendo vocês se abanarem, estão com calor? Devo diminuir a temperatura da sala?" ou "Acredito que o nível de energia caiu, o que vocês acham de fazermos uma pausa?" Faça pausas em função da necessidade do grupo e não só em horários predeterminados.

Intervalos

Os intervalos são fundamentais para manter o grupo num bom estado de aprendizagem. Eles melhoram a memorização da matéria e revigoram os participantes. É possível oferecer pausas formais, com horários preestabelecidos, ou informais, considerando a necessidade do grupo. O intervalo também pode ser feito com exercícios rítmicos como bater palmas ou fazer um alongamento. No que se refere à memorização, a lembrança do que foi dito tende a ser mais forte no início e no final de uma sessão de aprendizagem, portanto, apresente os assuntos mais importantes logo após um intervalo.

Recursos

Os recursos necessários para um treinamento se referem aos equipamentos, materiais, tecnologia, espaço físico e pessoas adequados para conduzir a atividade de maneira eficiente. O tamanho do espaço disponível, por exemplo, terá impacto no tipo de exercício que você irá propor. Esteja preparado para panes de tecnologia; neste caso, certifique-se de ter um plano B. Se houver no grupo pessoas com deficiência, talvez seja necessário fazer algumas adaptações para que elas possam aproveitar o treinamento.

Seguir adiante

Às vezes pode-se perder o foco do assunto. Um dos motivos que levam a isso, por exemplo, é quando alguns participantes se aprofundam numa discussão sem vínculo com o treinamento. Embora o tema discutido possa ser interessante para alguns, outros podem considerá-lo fora de contexto. Agradeça com elegância as contribuições e siga adiante. Eu gosto de usar o acróstico V.A.P. (Vire A Página) ou, no caso do treinamento, "vamos seguir adiante". No início de um treinamento avise que todos têm o direito de solicitar um V.A.P., inclusive os participantes. Eles podem solicitá-lo ao instrutor que, eventualmente, pode falar mais do que o necessário. Se isso acontecer com você, agradeça e... siga adiante!

Humor

Muitos participantes têm o "pré-conceito" de que treinamentos são chatos e, instrutores, rabugentos. Surpreenda-os com leveza e diversão. O uso do humor descontrai, engaja o grupo e facilita a aprendizagem. É pouco provável que a criatividade e a imaginação sobrevivam num ambiente triste. Você não precisa ser um comediante para ter senso de humor. Não se leve tão a sério e desenvolva a habilidade de rir de si mesmo, sobretudo se algo der errado durante o treinamento. Lembre-se de que você não precisa ser engraçado, somente se divertir. Afinal, se o instrutor não se divertir, é muito difícil que os participantes se divirtam.

Tranquilidade

Se você discordar do ponto de vista de um participante, nunca tente atacar a posição dele com críticas ou sarcasmo. Mesmo que ele tenha se dirigido a você de forma inadequada, não devolva o ato na mesma moeda. Agressividade gera agressividade e respeito gera respeito. Você pode desafiar a opinião dele com perguntas. Questione, por exemplo, quais são as vantagens ou desvantagens daquele ponto de vista. Ser sarcástico ou ter uma atitude defensiva tende a piorar a situação.

Interesse e compromisso

Contribua para o sucesso do grupo, e tenha a habilidade de se colocar no lugar das pessoas. A maneira mais eficiente de motivar o seu grupo é começar por você mesmo. Se não achar o seu treinamento interessante, é pouco provável que a turma tenha opinião diferente da sua. Seu entusiasmo com o treinamento, com o sucesso do grupo e com o conteúdo é contagioso. Se desejar sinceramente que os participantes sejam bem-sucedidos e se dedicar para que isto aconteça, eles irão perceber sua motivação e tendem a se engajar nas atividades propostas.

> *Grandes coisas não são feitas por impulso,*
> *mas por uma série de pequenas coisas reunidas.*
>
> Vicent Van Gogh[1]

Os seis princípios universais de pesquisas sobre treinamento

Harold Stolovitch e Erica Keeps apresentam em suas publicações seis conceitos universais©[2] de pesquisas sobre treinamento. Para os autores, o sucesso no trabalho depende do desempenho dos indivíduos. Ajudar as pessoas a aprender é uma forma de contribuir com o bom desempenho delas. A simples transmissão de informações não funciona bem. As seis palavras que resumem os estudos sobre treinamentos são:

1. POR QUE: se você sabe por que deveria aprender algo e vê benefícios pessoais nisso, você aprende melhor.
2. O QUE: se você sabe exatamente o que deveria aprender, você aprende melhor.
3. ESTRUTURA: se a instrução está e estruturada de forma significativa para você, você aprende melhor.

---

1 – BUCHSBAUM, P. E. L. (pesquisa e seleção). *Frases geniais*. Rio de Janeiro: Ediouro, 2004. p. 424

2 – STOLOVITCH, H. D.; KEEPS E. J. *Informar não é treinamento*. Rio de Janeiro: Qualitymark Editora Ltda., 2011. Material publicado com autorização dos autores.

4. RESPOSTA: se você responder ativamente e praticar durante o aprendizado, você aprende melhor.

5. FEEDBACK: se você receber *feedback* significativo, específico, em tempo hábil, e sobre o seu desempenho durante o aprendizado, você aprende melhor.

6. RECOMPENSA: se você se sente bem a respeito do que está aprendendo, e se sente recompensado por isso, você aprende melhor.

Se você aplicar estes conceitos cada vez que treinar pessoas, sua probabilidade de sucesso aumenta. Baseados nestes conceitos, os autores propõem um modelo de cinco passos©[3] para estruturar praticamente qualquer sessão de treinamento. O modelo é simples, de fácil aplicação, e é apresentado em forma de fluxograma:

Modelo de cinco passos para estruturar treinamentos

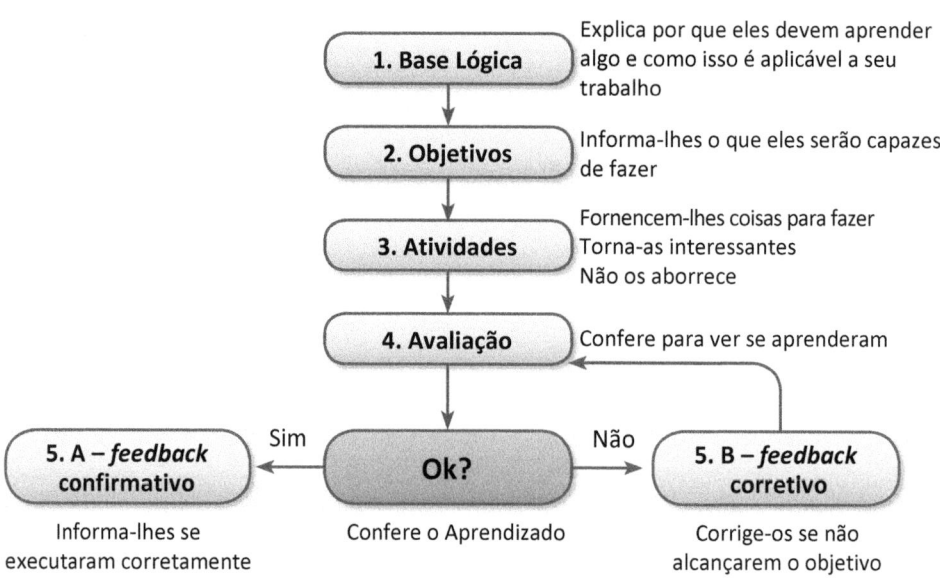

---

3 – STOLOVITCH, H. D.; KEEPS, E. J. *Telling ain't training*. 2nd. Edition, updated, expanded and enhanced. Alexandria, Virginia: ASTD Press, 2011. p. 85.

A respeito do *feedback,* os autores ainda recomendam:

Sempre dê o retorno referindo-se à tarefa e não à pessoa.

No caso de tarefas simples, o melhor período para dar o *feedback* é logo após o desempenho.

No caso de tarefas complexas, para evitar o excesso de informações, o melhor período para dar o *feedback* são momentos antes da próxima tentativa ou prática.

Comunicação é a arte de ser entendido.

Peter Ustinov[1]

Feedback

No contexto de treinamento, entendemos *feedback* como a comunicação entre o facilitador e os participantes, resultante de uma ação. O *feedback* pode ser uma valiosa ferramenta de aprendizagem se conduzido com eficiência. Pode contribuir para melhorar o desempenho, para o autoconhecimento, para fortalecer a autoestima, resolver problemas e evitar retrabalho.

Em poucas palavras, o objetivo do *feedback* é oferecer informações com o objetivo de gerar aprendizado. É preciso técnica e sensibilidade para dar um parecer de forma construtiva. Isso ocorre porque o que falamos pode ser mal interpretado por quem nos ouve, gerando ressentimento ou desgastando o relacionamento com o nosso interlocutor. O instrutor precisa estar preparado para oferecer *feedback* mesmo quando o desempenho do participante não for bom.

O *feedback* está presente em quase todos os treinamentos, principalmente naqueles cujo o objetivo é melhorar o desempenho dos participantes. Ter a habilidade de oferecer uma apreciação construtiva é uma das competências essenciais do instrutor. Por este motivo, optei em aprofundar o conceito neste capítulo.

---

1 - BUCHSBAUM, P. E. L.*Frases geniais*. Rio de Janeiro: Ediouro, 2004. p.144.

Como dar um *feedback* construtivo

Consideração

Demonstre consideração por seu interlocutor.

Mostre, por meio de suas palavras, seus gestos e seu tom de voz, que a sua intenção é contribuir para o desenvolvimento da pessoa com quem você fala.

Autocontrole

Monitore o seu comportamento.

Você tem controle sobre o seu comportamento e não sobre o de outra pessoa. Transmita respeito a ela por meio de sua comunicação e evite interrupções durante o *feedback*. Desligue o celular, não atenda ligações e mantenha contato visual. Assegure-se de que você está mental, física e psicologicamente equilibrado para se comunicar.

Foco

Mantenha o foco.

Limite-se a falar sobre um comportamento específico por vez. Não traga à tona situações "mal resolvidas" do passado.

Compreensão

Certifique-se de que a pessoa entendeu o que você quis dizer.

Se for necessário, solicite que seu interlocutor explique o que ele entendeu a respeito do que você falou.

Seja específico.

Ao ser específico, você permite que a pessoa com quem você fala entenda, exatamente, o comportamento que você deseja reforçar ou desencorajar.

Declarações vagas tendem a deixar o outro confuso e ressentido. Lembre-se de que não existe o óbvio na comunicação. O que parece óbvio para você pode não o ser para seu ouvinte. Além disso, vocês podem atribuir significados diferentes ao que foi dito.

Evite: "Você não conduziu bem o treinamento".

Prefira: "Você não apresentou uma atividade para os participantes praticarem o conceito apresentado".

Descrição de comportamento

Descreva o comportamento da outra pessoa. Não a julgue nem a interprete.

Julgar o comportamento de alguém aumenta as chances de essa pessoa ficar na defensiva e não prestar atenção ao que você diz.

Evite: "Você não foi profissional (julgamento) ao se atrasar vinte minutos para a reunião".

Prefira: "Você se atrasou vinte minutos para reunião".

Impacto

Descreva o impacto do comportamento em questão sobre você e sobre as outras pessoas envolvidas no contexto.

No exemplo acima você poderia acrescentar a seguinte consequência para o comportamento descrito: "Você se atrasou vinte minutos e isto gerou reclamação dos participantes".

Informação

Dê informações e não conselhos.

Um conselho não solicitado pode ser facilmente entendido como um julgamento do tipo "eu-estou-certo-e-você-está-errado". Limite-se a dar informações. Cabe à pessoa que recebeu o *feedback* decidir o que fará dali por diante com as informações apresentadas.

Percepções

Ao falar sobre as suas percepções, mencione isso para o grupo ou para a pessoa.

Embora o *feedback* esteja baseado em fatos, você também pode falar sobre suas percepções. Suponha que você observe que o grupo para o qual você está ministrando um treinamento demonstre sinais de cansaço de uma forma sutil. Você não tem certeza disso, pois é só uma percepção. Nesse caso, diga algo como: "na minha percepção, acredito que vocês estejam cansados e quero dar uma pausa de 10 minutos antes de seguirmos adiante. O que vocês acham?". Ao separar fatos de percepções e mencionar isso para o grupo (ou para uma pessoa), aumentam as chances de o receptor do *feedback* não ficar na defensiva.

Lembre-se de que:

- No caso de tarefas simples, o melhor período para dar *feedback* é logo o desempenho da atividade.

- No caso de tarefas complexas, para evitar o excesso de informações, o melhor período para dar seu parecer são momentos antes da próxima tentativa ou prática.

Momento e local

Escolha o momento e local adequados para dar o *feedback*.

O objetivo do *feedback* é ajudar a pessoa com quem você fala. Se ela não for capaz de prestar atenção à informação que você quer transmitir, seu parecer torna-se inútil. Escolha um momento em que seu interlocutor possa escutá-lo com atenção. Evite dar o *feedback* quando ele estiver sob muita pressão ou com pressa. Procure falar em particular com a pessoa para evitar constrangimentos.

Agilidade

Dê o *feedback* em um momento oportuno.

Procure dar o *feedback* o mais rapidamente possível ao observar um comportamento inadequado. Isso diminui as chances de distorcer os fatos observados e evita o ressentimento da pessoa a quem você se dirige. Evita-se o seguinte tipo de questionamento: "Por que você não me falou isto antes?" Você pode adiar o *feedback* se perceber que tanto você quanto seu interlocutor não estão equilibrados mental, física e emocionalmente para conversar.

Reforço de mudança

Ao observar um novo comportamento, ofereça um *feedback* para reforçar a mudança alcançada.

Lembre-se de ser específico. Suponha que você dê um parecer sobre uma apresentação que ultrapassou o tempo estipulado. A pessoa a quem você se dirigiu tem uma nova oportunidade para se apresentar e respeita o tempo proposto. Você poderia falar algo do tipo: "Gostei do fato de você ter feito sua comunicação em dez minutos. Você respeitou o tempo proposto e não atrasou a apresentação dos outros colegas".

Responsabilidade

Assuma a responsabilidade pelas suas opiniões.

Ao se referir a uma pessoa, seja específico. A menos que esteja autorizado a representar uma classe de pessoas, fale exclusivamente por si.

Evite: "Muitas pessoas estão insatisfeitas com a sua apresentação".

Prefira: "Eu não consegui escutar com clareza a sua voz durante a sua apresentação".

Opções

Ofereça opções de escolha

Ao dar *feedback* para alguém, lembre-se de que seu interlocutor tem a opção de mudar de comportamento ou não. A decisão de mudar depende, exclusivamente, da outra pessoa e não de você. O seu papel é oferecer informações sobre o comportamento dela e qual o impacto desse comportamento sobre você. Também pode informar quais serão as consequências, caso essa pessoa resista à mudança.

Exemplo: "Se você não utilizar os equipamentos de proteção individual, não terá autorização para operar com máquinas." (A pessoa decide se vai ou não os utilizar.)

Feedback avaliativo

Se você der um *feedback* avaliativo, descreva, antes, os critérios e padrões pelos quais a pessoa ou o grupo serão avaliados.

Embora o conceito seja simples, não o respeitar pode gerar ressentimento. Avaliações são úteis para informar se quem passou por um treinamento apresentou ou não o resultado esperado. Quando a avaliação acontece e as pessoas não sabem os critérios pelos quais foram avaliadas, elas se sentem enganadas, como se estudassem uma matéria para passar numa prova e fossem avaliadas por um conteúdo completamente diferente do estudado. Para evitar essa armadilha, quando você der um *feedback* avaliativo, explique quais os critérios e padrões usados na avaliação.

Exemplo: "Na atividade final vocês serão avaliados de acordo com as habilidades de apresentação. Isso significa chamar os participantes pelo nome e manter contato visual durante a exibição".

Como receber o *feedback* de forma eficiente

Dar o *feedback* de forma eficiente é uma ferramenta essencial de comunicação. Entretanto, não gera aprendizagem se a pessoa que o recebe não estiver apta a absorver a informação transmitida. É o receptor do *feedback* que decide se irá aproveitar ou ignorar a informação e se irá mudar de comportamento ou não.

Sheila Heen e Douglas Stone, especialistas em conversas difíceis, indicam três fatores que podem desencadear muita tensão ao receber o *feedback*[2].

- Quando as avaliações parecem infundadas ou falsas, você pode se sentir indignado e exasperado.

- A sua opinião sobre a pessoa que lhe dá o *feedback* pode fazer com que você o rejeite, pois pode pensar: "ele não tem credibilidade no assunto" ou "depois de tudo que fiz por ele recebo essa crítica mesquinha?".

- Você pode sentir que sua identidade foi ameaçada e o *feedback* desencadeia a sensação de você ser um "incompleto", gerando sentimentos defensivos.

Como notam os autores citados, todas essas reações são naturais e razoáveis. O desafio é saber como aproveitar o *feedback* mesmo quando ele provoca tensão. Lembre-se de que mesmo se o parecer dado for certo ou errado, válido ou não, para recebê-lo bem, você precisa passar por um processo de filtragem e escolha. Para receber *feedback* de forma eficiente, observe as estratégias:

Mensagem e mensageiro

Separe a mensagem do mensageiro e, depois, reflita sobre ambos.

Se os seus sentimentos com relação à pessoa que lhe dá o *feedback* impedem que você reflita sobre o conteúdo do que está sendo transmitido, separe a mensagem do mensageiro. Existe algo de útil no que foi dito a você?

---

2 – Adaptado de *Harvard Business Review*. Brasil, jan. 2014. p.73 -76.

Especificações

Em caso de dúvidas, peça especificações.

Algumas vezes, embora a pessoa que dá o *feedback* esteja preocupada com o seu desenvolvimento, ela pode não ter habilidade para o fazer adequadamente e lhe dá um parecer com informações genéricas, deixando-o ainda mais confuso. Se você avaliar que o *feedback* foi "vago", faça perguntas e peça especificações para o seu interlocutor. Ele pode lhe dizer, por exemplo: "Você pode fazer melhores apresentações"; e você pode perguntar: "Como, especificamente, eu posso melhorar as minhas apresentações?"; ou "o que, especificamente, eu posso fazer para melhorá-las?"

Nível Comportamental

Considere qualquer *feedback* no nível comportamental. O *feedback* é sobre o que você *fez* e não sobre aquilo que você *é*.

Isso permite que você preserve a sua identidade ao receber um parecer de alguém. Por exemplo, se recomendaram o uso de um tom de voz mais baixo durante suas apresentações, isso se refere a um tipo de comportamento. É algo que você *faz* e que pode ser mudado se você quiser. Nada tem a ver com a sua competência profissional.

Filtragem e ação

Depois de filtrar as informações úteis do *feedback*, decida o que fazer.

Você tem a opção de escolha se irá ou não mudar de comportamento e não precisa concordar sempre com o parecer recebido. Se achar que não vale a pena levar em conta o *feedback*, ignore-o. O'Connor e Seymour propõem algumas alternativas de ação para a pessoa que recebe o *feedback*. Escolha a mais adequada para você[3]:

- Você pode concordar com o que foi dito.
- Você pode desejar pedir desculpas.

---

3 – Adaptado de O'CONNOR, J.; Seymour, J. *Treinando com a PNL*: recursos da programação neurolinguística para administradores, instrutores e comunicadores. São Paulo: Summus editorial: 1996.

- Você pode querer dar sua versão dos fatos, se ela for diferente da versão da pessoa que lhe deu o *feedback*.

- Você pode discordar totalmente e dizer isso ao seu interlocutor.

- Você pode querer deixar o assunto de lado e discuti-lo em outra ocasião.

- Você pode querer utilizá-lo para explicar o seu ponto de vista.

Pedido de *feedback*

Peça *feedback* quando necessário.

É possível que você não receba um retorno sobre suas ações na frequência que gostaria. Você aumenta as chances de estar equilibrado física, mental e psicologicamente se solicitar *feedback* quando julgar adequado. Procure oportunidades de receber *feedback* em pequenas doses, isso pode contribuir para você "digerir" o conteúdo dele com mais tranquilidade e mudar de comportamento caso deseje.

O *feedback* é uma ferramenta essencial do processo de aprendizagem e pode contribuir para o desenvolvimento de uma pessoa quando conduzido de maneira adequada. O desafio não é só aprender a dar *feedback*, mas também a recebê-lo. As boas notícias são que as habilidades de dar e receber *feedback* podem ser aprendidas e dependem de prática. Prepare-se e pratique. Os resultados valem a pena.

> *Diga-me e eu esquecerei.*
> *Mostre-me e eu lembrarei,*
> *Envolva-me e eu aprenderei*
>
> PROVÉRBIO INDÍGENA NORTE AMERICANO[1]

Como lidar com comportamentos difíceis

Existem várias formas de lidar positivamente com comportamentos difíceis num grupo que participa de um treinamento. Entenda-se por comportamentos "difíceis" aqueles que desviam o foco de atenção do grupo. Algumas estratégias contribuem para evitar resistências, definidas no contexto de treinamento como as ações contrárias ao programa, conteúdo ou instrutor. São elas:

- Estabeleça um contrato definindo as regras para o grupo. Ex: horários de intervalos, critérios para o uso de celulares etc.
- Apresente um conteúdo que represente um desafio para o grupo
- Tenha empatia, entusiasmo e seja coerente
- Envolva os participantes na aprendizagem
- Crie um ambiente seguro onde as pessoas sintam-se respeitadas e bem-vindas
- Respeite todos os pontos de vista

---

1 – BUCHSBAUM, P. E. L. (pesquisa e seleção). Frases geniais. Rio de Janeiro: Ediouro, 2004. p. 168.

É preferível enfrentar uma resistência no início do treinamento do que ter lidar com esta tensão ao longo do processo. Você identifica nos primeiros momentos do treinamento uma grande resistência dos participantes. Em primeiro lugar, não considere isso como sendo algo pessoal. Ignorar este fato não fará com que ele seja resolvido. Portanto coloque-se no lugar dos participantes e considere os diversos motivos que podem gerar resistências:

- Talvez o grupo tenha experiências negativas de treinamento no passado e estão fazendo um projeção para o futuro (por exemplo: "Este treinamento também vai ser uma perda de tempo".).

- Os participantes foram convocados para realizar um treinamento durante o final de semana quando poderiam estar descansando e, portanto, isso pode gerar ressentimento.

- O treinamento é obrigatório e muitos não gostariam de estar ali.

Em qualquer um dos casos, falar a respeito do assunto tende a dissipar as tensões. Use da empatia. No último exemplo, você poderia falar algo do tipo: "Talvez alguns de vocês não gostariam de estar aqui, mas uma vez que vamos passar alguns dias juntos, que tal aproveitarmos este tempo da melhor maneira possível? Alguém tem alguma sugestão?".

Diante de um comportamento difícil, reconheça que talvez você esteja contribuindo para manter ou reforçar esta situação. É possível que você não seja o responsável pelo conflito, entretanto, é importante que você entenda o seu papel dentro do sistema e identifique o que você faz para perpetuar a situação.

Num contexto de treinamento, suponha que você identifica que a maioria do grupo está disperso e inicia conversas paralelas depois de você ter feito uma explicação sobre um tema particularmente complexo em vinte e cinco minutos sem interrupções. Talvez você tenha tornado a explicação muito longa e isto contribuiu para gerar dispersão no grupo.

Ao enfrentar um conflito pergunte-se: "Como eu posso ter contribuído para esta situação?". Se você identificar que pode fazer algo a respeito, mude a sua estratégia. No exemplo descrito anteriormente, você poderia fazer uma pausa ou reduzir o tempo das suas explicações. Lembre-se: *informar não é treinamento*.

Em alguns casos, você vai identificar que contribuiu muito pouco para perpetuar o comportamento difícil e, mesmo seguindo todos os passos anteriores, para evitar resistências, elas podem surgir, inclusive por fatores que estão fora do seu controle. (O ar-condicionado da sala quebra e as pessoas têm dificuldade de prestar atenção por causa do calor insuportável.) Esteja preparado para lidar com alguns comportamentos específicos de forma positiva.

A maneira que você vai reagir diante de um conflito depende dos seu estado físico e emocional naquele dado momento. Uma forma de manter-se calmo em situações de conflito é cuidar de si mesmo. É pouco provável que você consiga manter-se equilibrado se você enfrentar um comportamento irritante se você estiver sob muita pressão ou sentir-se esgotado.

O papel do facilitador pode levar ao esgotamento, pois demanda energia e, às vezes, podemos ter a sensação de dar mais do que recebemos. Você não tem condições de oferecer o melhor de si para o grupo se não se cuidar física e psicologicamente. Avalie se você tem descansado e se alimentado de forma adequada. Às vezes uma rouquidão pode ser evitada tomando medidas simples como, por exemplo, beber quantidade suficiente de água ao longo do dia. Do ponto de vista mental, aprenda uma coisa completamente diferente, teste seu treinamento e renove a matéria.

Estratégias para lidar com comportamentos difíceis

Lembre-se de comunicar-se com empatia, respeito e elegância para evitar intensificar o conflito. A ideia não é apresentar uma lista extensa de comportamentos difíceis, mas lhe oferecer recursos para lidar com desafios inesperados. Nos exemplos a seguir, apresentamos diferentes estratégias se um participante imaginário...

Menciona insistentemente a opinião de outras pessoas sobre determinado assunto

Um participante menciona a experiência de outra pessoa talvez porque não se sinta à vontade para falar de si mesmo. Você pode contribuir para que este participante sinta-se acolhido falando algo do tipo: "Eu compreendo que o Pedro tenha tido esta experiência e talvez não tenha sido a sua. Agora fale-me sobre a sua experiência e a sua opinião a respeito deste assunto"

Assume o papel de porta-voz "não autorizado" do grupo

Um participante fala em nome do grupo sem autorização do mesmo. Isto pode causar constrangimento para o grupo, pois as pessoas podem não compartilhar das mesmas opiniões deste "porta-voz não autorizado". Agradeça a observação e fale: "Obrigado pela contribuição. Vamos conferir se todos pensam da mesma forma. Eu prefiro que as pessoas falem por si mesmas."

Faz comentários ou perguntas irrelevantes

Pergunte: "Como a pergunta (ou comentário) está relacionada com o assunto em questão?"

Identifica insistentemente possíveis problemas

Normalmente, a pessoa usa a estrutura "mas" e seus sinônimos: porém, todavia, entretanto, no entanto, contudo. Como instrutor, o seu papel é respeitar a opinião dos participantes (mesmo que você não concorde com eles), sobretudo, não se envolva numa discussão desnecessariamente. Você tem a opção de substituir o "mas" pelo "Sim, e..." sem eliminar a mensagem positiva da primeira parte da frase. Veja os exemplos abaixo:

Participante: "Mas eu não concordo com essa parte"

Você: "**Sim, e** sua opinião é bem-vinda, esta é mais uma forma de abordar o assunto."

Faz perguntas confusas

Se você não entendeu a pergunta seja direto: "A sua pergunta não ficou clara para mim, você pode ser mais específico?" ou simplesmente "Não entendi a sua pergunta; você pode fazer a pergunta de outra forma?".

Conversa paralelamente

Ande em direção às pessoas que estão conversando sem interromper a sua explicação, no caso nem é necessário olhar diretamente para elas. O fato de você se aproximar tende a interromper as conversas paralelas. Ou pergunte se elas gostariam de compartilhar algo com o grupo. Ou mencione o nome das pessoas que estão conversando com um exemplo positivo: "Se Adriana e Paulo fossem apresentar os serviços da empresa para um cliente...."

Desafia o seu conhecimento

Se de fato este participante for um especialista no assunto, solicite e agradeça a ajuda dele. Se ele se acha um especialista, mas não é de fato, peça opinião dele sobre determinado assunto; ele tenderá a se esquivar nestas situações. Se for adequado, cite a fonte de pesquisa ou a referência bibliográfica do conceito que você apresentou. Ou você pode perguntar para o grupo: "O que vocês pensam a respeito do ponto de vista do João?" no caso, o participante que desafiou o seu conhecimento.

Faz outro trabalho durante o treinamento

Talvez este participante esteja sob grande pressão. Ofereça, se for possível, a participação em outro grupo. Se for do interesse de todo o grupo, você pode negociar para terminar o seu treinamento mais cedo ou dar mais tempo para o grupo durante os intervalos.

Não se sente à vontade para interagir com o grupo

Proponha atividades em subgrupos ou em pares.

Faz uma pergunta extensa e prolixa

Aguarde por uma pausa e pergunte: "Silvia, você pode por favor resumir a sua pergunta para que eu possa anotá-la?".

Fica em silêncio

Simplesmente pergunte: "Celso, o que você pensa a respeito disso?". Ou use o humor depois de fazer uma pergunta para o grupo e todos ficarem em silêncio, fale algo do tipo: "Por favor falem um por vez, se todos falarem ao mesmo tempo, eu não consigo entende-los" ou sente-se e fale "Eu não tenho pressa. Podemos aguardar o tempo que for necessário para ouvirmos uma resposta."

Qualquer que seja o seu treinamento, faça um registro de como você lidou positivamente com um comportamento particularmente difícil e use diversas estratégias até encontrar a mais adequada e eficiente naquele contexto. Lembre-se de que após superar estes desafios, os participantes tendem a respeitá-lo ainda mais.

> *Percebendo o que não funciona,*
> *você chega mais perto do que funciona.*
> *Não aprenda apenas com seus próprios erros;*
> *aprenda com os erros dos outros.*
> *Isso economiza tempo.*
>
> JOSEHPH O'CONNOR E JOHN SEYMOUR[1]

É hora do show: a arte da facilitação

Em uma apresentação, o público fica atento aos principais canais de comunicação de quem fala: o visual, o tom de voz, os gestos e as palavras. A maneira como você usa estas ferramentas irá causar um impacto diferente nos ouvintes, de acordo com resultado que você deseja.

Se você quiser "se aproximar do seu público", tome o cuidado de usar o vocabulário adequado a ele. Evite palavras técnicas, a não ser que você vá ministrar um treinamento técnico e o grupo tenha a expectativa de aprender um vocabulário especializado.

Além do preparo com o conteúdo, fique atento aos aspectos visuais e auditivos da sua apresentação. A ideia é que você tenha coerência com a mensagem a transmitir. As habilidades de apresentação podem ser desenvolvidas e aperfeiçoadas.

---

1 – O'CONNOR, J.; SEYMOUR, J. *Treinando com a PNL*: recursos da programação neurolinguística para administradores, instrutores e comunicadores. São Paulo: Summus editorial. 1996. p.103.

Desenvolvendo habilidades de apresentação

Aspectos visuais

APARÊNCIA: a primeira impressão que os participantes terão de você é a sua aparência. Em aproximadamente dez segundos as pessoas formarão suas impressões iniciais. Se a sua aparência transmitir "falta de cuidado", é provável que os participantes registrem essa impressão na apresentação que vem a seguir.

A sua roupa está adequada? Confortável?
Ao final do dia, um par de sapatos apertados pode impactar negativamente o seu bem-estar e, consequentemente, o seu treinamento.
A sua roupa ou algum acessório está distraindo o seu público? Em caso positivo, livre-se disso.
Você dormiu bem na noite anterior ao treinamento?
O seu aspecto está coerente com a mensagem que você deseja transmitir? Imagine como a sua credibilidade ficaria comprometida se você fosse ministrar um treinamento sobre marketing pessoal e estivesse com o rosto abatido, aspecto cansado e as roupas amassadas.
Não confunda informalidade com descuido. Muitas mulheres investem tempo e energia para fazer uma maquiagem "muito natural" como se não estivessem "usando nada".

POSTURA: uma boa postura transmite segurança e desenvoltura.

Mantenha o peso do corpo distribuído nos dois pés.
Ficar balançando para trás e para frente no mesmo lugar pode distrair sua plateia.
Evite ficar de costas para o seu público, a não ser que isto seja intencional.
Sentar na ponta de uma mesa ou ficar apoiado numa banqueta torna o tom mais informal. É isso o que você deseja?
Usar uma cadeira para sentar-se próximo ao seu grupo deixa o tom ainda mais intimista.

GESTOS: você consegue chegar uma hora antes do evento para se assegurar de que tudo está de acordo com o seu planejamento? Chegar em cima da hora pode causar tensão e nervosismo. Isto será percebido pelo público.

As pessoas atribuem significados diferentes para os gestos. Antes de se apresentar em uma região ou país com cujos costumes você não está familiarizado, faça uma pesquisa para identificar quais gestos podem ser mal interpretados ou ofensivos. Lembre que cada local tem um uma cultura própria.
Elimine os gestos desnecessários. Eles devem apenas enfatizar pontos específicos de sua apresentação. Quando exagerados, perdem o impacto.
Para transmitir espontaneidade, elimine os "gestos nervosos": colocar e tirar as mãos do bolso repetidamente, brincar com a sua roupa ou com um acessório, estalar os dedos, passar as mãos nos cabelos repetidamente.

EXPRESSÃO FACIAL: As emoções são contagiantes. Verifique se as suas expressões estão coerentes com a mensagem que você deseja transmitir. Antes da sua apresentação, reserve um tempo para eliminar as tensões do seu rosto e ficar alinhado com a mensagem que você deseja transmitir.

CONTATO VISUAL: manter contato visual com os participantes demonstra interesse por eles. Mesmo antes de iniciar a apresentação, faça contato visual com as pessoas. Se a sua plateia for muito grande, escolha alguns indivíduos que lhe pareçam simpáticos. "Ao falar, divida mentalmente a sala em quatro ou cinco segmentos e, sistematicamente, faça contato visual com as pessoas nos diferentes segmentos, uma pessoa diferente de cada vez. O contato visual durante cerca de cinco segundos funciona melhor."[2]
Lembre-se de que o contato visual também é influenciado por preferências culturais. Fique atento ao impacto que o seu olhar causa na outra pessoa. Encarar alguém tempo demais pode parecer uma ameaça.

MOVIMENTOS: se ficar parado durante a apresentação tende a entediar os participantes, o excesso de movimento também pode distraí-los. Para utilizar

---

2 – O'CONNOR, J.; SEYMOUR, J. *Treinando com a PNL*: recursos da programação neurolinguística para administradores, instrutores e comunicadores. São Paulo: Summus editorial. 1996. p. 96.

o espaço de maneira eficiente, remova as barreiras entre você e a plateia. Susan M. Weinschenk, especialista em apresentações, propõe: "Não deixe quaisquer barreiras entre você e a plateia – não use um púlpito e, se houver uma mesa, saia de trás dela sempre que possível. As pessoas precisam ver seu corpo para confiar em você. Mostrar-se por inteiro expressa segurança e autoridade[3]." Além disso, a autora ressalta a importância de se mover com um propósito: "Apesar de um movimento nervoso não ser bom, mover-se com um propósito é positivo. Aproxime-se das pessoas logo antes de defender um argumento, mas certifique-se de estar imóvel ao argumentar.[4]"

Se você precisar ficar sentado por algum motivo, por exemplo, dor nas costas ou nos pés, comunique aos participantes suas razões antes de começar a apresentação, caso contrário, eles podem interpretar este comportamento como falta de interesse.

Se os participantes formarem subgrupos para alguma atividade, circular entre eles demonstra que você está acessível para a turma.

Uso do espaço: Marcação Analógica e Espacial

Uma boa apresentação depende da utilização de todos os canais de comunicação de maneira congruente para transmitir uma mensagem. Grande parte do significado é transmitido através de canais não verbais: tom de voz e gestos (linguagem corporal).

Marcação analógica: significa utilizar a sua linguagem não verbal (ou analógica) para marcar alguma parte importante da matéria ou treinamento. A linguagem não verbal inclui sua linguagem corporal, seus gestos e tom de voz. Quando o grupo começar a discutir um assunto que está fora do foco do treinamento, se você desejar retomar o foco, ao invés de falar alguma coisa para chamar a atenção do grupo, você pode escrever a palavra "foco" na tela ou no *flipchart* e fazer um gesto em direção a esta palavra. Neste caso você está se comunicando como o grupo sem usar palavras.

---

3 – WEINSCHENK, S. M. *Apresentações brilhantes*. Rio de Janeiro: Sextante: 2014. p. 192.

4 – WEINSCHENK, S. M. *Apresentações brilhantes*. Rio de Janeiro: Sextante: 2014. p. 194.

Marcação espacial: significa usar diferentes espaços para diferentes ações. Lembre-se que o espaço físico é uma metáfora para o espaço mental. O uso eficiente do espaço contribui muito para criar uma associação entre o lugar que você se posiciona e o tipo de atividade que você deseja. Você pode utilizar o espaço para evocar diferentes "âncoras".

Âncora: é qualquer estímulo associado a uma reação específica. As âncoras podem ocorrer naturalmente. Elas também podem ser criadas intencionalmente, como, por exemplo, tocar uma música para obter a atenção do grupo ou posicionar-se em determinado lugar para ouvir perguntas. As âncoras podem contribuir muito para facilitar a aprendizagem.

Para associar o local à ação, utilize diferentes espaços para diferentes ações. No espaço físico do seu treinamento você pode definir diferentes lugares para dar informações, fazer demonstrações, resumos, contar histórias etc. Você pode escolher por exemplo:

- Um lugar no centro do palco para fazer apresentações.
- Um outro lugar, um passo a frente, onde você faz perguntas.
- Um outro lugar, um passo para trás, onde você faz demonstrações.
- Ou todos os lugares podem ser diferenciados através do seu comportamento não verbal.
- Definir diferentes espaços na sala de treinamento associado com diferentes temas apresentados. Se for adequado, você pode pedir para que os participantes "se movimentem pela sala" passando pelos diferentes assuntos abordados, você pode escrever cada tema em um papel e colocá-los no chão ou pregá-los na parede. Defina um propósito para este movimento: ele pode ser usado para fazer uma revisão da matéria ou para que cada participante mencione uma coisa importante que aprendeu a respeito daquele tema em questão.

O uso do espaço de forma eficiente é uma ferramenta essencial para o instrutor manter o grupo engajado. Um instrutor que permanece imóvel, atrás de uma mesa, lê anotações usando um tom de voz monótono sem manter contato visual com os participantes tende a evocar sono e cansaço no grupo.

Aspectos auditivos

VOZ: os ouvintes captam uma grande fonte de informações por meio da voz de quem fala, portanto, use-a seu favor. Para falar de maneira eficiente, fique atento aos seguintes aspectos da voz:

PRONUNCIAÇÃO: Refere-se à boa articulação das palavras. Não tema o excesso. Palavras bem pronunciadas contribuem para a compreensão dos ouvintes. Alguns participantes ficam literalmente perdidos porque não são capazes de entender o que os instrutores falam. Preste especial cuidado em não juntar palavras e pronunciar o final das mesmas.

PROJEÇÃO: Refere-se ao volume com que sua voz é ouvida. As pessoas do fundo da sala conseguem te escutar? Confira com seu público se todos conseguem te ouvir com clareza. Variar o volume da sua voz pode mudar o significado ou reforçar uma ideia apresentada.

ENTONAÇÃO: Refere-se à variação do tom usado durante a fala. Por meio da entonação é possível enfatizar uma ideia. Você pode usar a entonação, por exemplo, para expressar surpresa ou ironia, e também para distinguir uma afirmação de uma interrogação.

RITMO: Refere-se à velocidade com que você fala as palavras. Se os participantes estiverem anotando o que você diz, fale mais devagar. Confira se o seu ritmo está adequado para os ouvintes. Você pode fazer ajustes "acelerando" ou "desacelerando" o ritmo.

PAUSAS: Referem-se aos intervalos que você faz quando fala. Lembre-se de que o seu silêncio pode ser tão importante quanto suas palavras. Você pode usar pausas para criar diversos efeitos: para organizar o seu pensamento, para dar tempo para sua plateia refletir sobre o conceito apresentado ou para você observar a reação do grupo com relação ao que você falou.

Quando estamos nervosos, tendemos a falar muito rápido e sem pausas, o que pode comprometer a compreensão dos participantes. Se você faz pausas naturalmente quando se comunica, por que você não faria em uma apresentação ou num treinamento?

VÍCIOS DE LINGUAGEM: Referem-se aos vícios que utilizamos sem perceber e que cortam a fluidez de um discurso. Identifique os seus vícios e substitua-os por palavras mais adequadas. Os vícios de linguagem mais comuns são: "é…", "ok", "né", "então", "hummm", "você sabe", "tudo bem?", "ótimo", "legal".

O efeito destes vícios sobre a plateia é, no mínimo, irritante. As pessoas deixam de prestar atenção ao conteúdo, e algumas se divertem contando quantas vezes o apresentador usou determinada palavra ou expressão. Se você não tem a intenção de hipnotizar sua audiência, elimine os vícios de linguagem. A melhor maneira de fazer isso é pedir para que alguém te escute e te dê um *feedback* sobre eles. A boa notícia é que você pode eliminá-los.

NOMES: Chame as pessoas pelos nomes e agradeça qualquer pergunta, resposta, contribuição ou comentário feito por elas.

A maneira mais eficiente de se aperfeiçoar é obter um *feedback* de suas habilidades de apresentação. Peça para uma pessoa te observar ou grave sua apresentação (você pode fazê-lo pelo seu celular).

Assista à sua apresentação, avalie o conteúdo, mude o que julgar adequado e siga em frente. Sem dramas. Sem sofrimento. Sem punições. Nós tendemos a ser nossos críticos mais exigentes e a autoavaliação pode se tornar uma tortura. Às vezes nos incomodamos com alguns aspectos da nossa apresentação que os participantes nem percebem. Este livro é para te impulsionar a agir e não te bloquear. A melhor forma de você adquirir autoconfiança é praticar e se divertir.

Vou reforçar o que acabei de escrever. Se você não ficou satisfeito com alguma de suas apresentações: "Não se culpe nem se arrependa das situações em que você exerceu pouco controle. Você continua a escrever a história da sua vida e terá muitas oportunidades de construir a vida que deseja para si mesmo. E se você escreveu alguma página que não gostou? Tudo bem. Foi só uma página. Você ainda escreverá muitas. E se o passado ainda o incomoda... vire a página; se for preciso rasgue-a; o importante é que você continue a escrever!"[5]

Técnicas de facilitação

Mais um reforço: iniciei este capítulo escrevendo sobre habilidades de apresentação, por ser um aspecto do processo de facilitação. Ter boas habilidades de apresentação é requisito importante para um instrutor, entretanto, facilitar envolve mais do que apresentar informações.

Tenho certeza de que você já assistiu a palestras e aulas expositivas sensacionais. Como palestrante profissional, reconheço que uma palestra pode inspirar pessoas a agir. Além disso, permite alcançar um grande número de pessoas de uma única vez.

A base de diversas palestras e aulas expositivas é transmitir informações. O foco do treinamento de acordo com o significado, que abordo neste livro, é transferir a prática de habilidades. Reforço novamente o conceito de que "informação não é treinamento".

O aprendizado não acontece exclusivamente por meio da apresentação de informações. O modelo de "aula expositiva" ou palestra onde "o-instrutor-fala-e-o-participante-escuta" é uma das formas mais ineficientes de ensinar, já que não leva em conta o fato de a aprendizagem real exigir a participação ativa e não somente a escuta passiva. Por este motivo é importante praticar técnicas que promovam o engajamento do público. Entenda-se por engajamento o envolvimento do público com o assunto apresentado. Existem algumas estratégias que ajudam a manter o foco durante um treinamento.

Em palestras

Mesmo quando você precisar fazer uma palestra ou uma aula expositiva, é possível engajar os participantes e por meio de algumas técnicas:

- Faça perguntas e peça para a audiência levantar as mãos de acordo com a resposta.

- Reforce suas ideias apresentando imagens.

---

[5] – KHOURY, K. *Vire a página*: estratégias para resolver conflitos. São Paulo: Senac. 2005. pp. 245,246

- Faça perguntas para o seu público para "revisitar" e recapitular um assunto apresentado ou para refletir sobre ele.
- Crie um teste para ser feito durante a apresentação.
- Acrescente um jogo.
- Dialogue com os participantes.
- Interrompa sua apresentação de tempos em tempos e alterne-a com perguntas ou um breve exercício.
- Use analogias ou ilustre o ponto que você descreveu com casos reais.
- Mostre um trecho de um filme e faça comentários e perguntas para a plateia.
- Apresente uma história no início de uma palestra e termine de contá-la no encerramento.
- Distribua um folheto com os pontos principais de sua comunicação para que os participantes possam resgatar o conteúdo apresentado. Deixe um espaço em branco para que criem um plano de ação do tipo: Após esta palestra eu vou praticar ....
- Crie exercícios para a audiência sedimentar o conhecimento. Entregue uma folha com perguntas ou deixe algumas frases com palavras em branco para completarem.

Para garantir que o aprendizado aconteça, um instrutor pode usar diversas estratégias, tais como jogos, discussões em grupo e estudos de caso. O instrutor vai investir boa parte de seu tempo facilitando atividades.

Se seguiu todos os passos deste livro, antes de ministrar um treinamento você fez um levantamento de necessidades de seu público, escreveu objetivos instrucionais, desenhou uma sequência de ações para engajar os participantes e interagir com eles e, enfim, chegou na hora do show: a facilitação! Este é o momento "visível" para audiência, que não tem ideia do trabalho que você teve até aqui.

Nas aberturas

As pessoas tendem a se lembrar do começo e do final de uma apresentação, por este motivo é importante tornar estas etapas marcantes.

Elaine Biech propõe iniciar a apresentação com **B.A.N.G.** a tradução do acróstico em inglês significa:

B: *Build interest in the session*: tornar a apresentação interessante para os participantes

A: *Ask participants what they know and what they need to know*: perguntar aos participantes o que eles já sabem e o que eles querem saber sobre o tema.

N: *Note the ground rules and what to expect*: registrar as regras básicas e o que esperar do treinamento

G: *Get them involved*: envolver os participantes.

Abaixo seguem algumas sugestões para as diferentes etapas:

B: Tornar a apresentação interessante:

- Informe quais os benefícios que o público obterá com a apresentação para vida profissional, pessoal ou ambas.
- Conte uma história que descreva o impacto que a informação que você vai apresentar causou na vida de outra pessoa (ou na sua própria vida).
- Apresente uma história que descreva os resultados de não colocar em prática o assunto que você vai abordar na sua própria vida ou na de outra pessoa.
- Relate uma história que descreva uma experiência real.
- Fale sobre sua experiência pessoal com o tema.
- Mostre uma citação impactante que faça os participantes refletirem sobre o tema.
- Faça uma pergunta que desperte a curiosidade da plateia.

A: Perguntar aos participantes o que eles já sabem e o que eles querem saber sobre o tema.

Existem várias maneiras de fazer isso. Vou apresentar uma técnica simples e eficiente:

- Peça aos participantes para formarem subgrupos de até cinco pessoas e, então, cada um deles responderá as seguintes perguntas[6]:

  O que me trouxe até aqui?

  O que eu sei sobre o tema em questão?

  O que eu quero levar daqui?

  O que eu espero saber fazer após o treinamento?

- Anote as respostas das turmas.
- Confira com os participantes se as expectativas deles estão coerentes e se são realistas, de acordo com os objetivos do treinamento.
- Se você identificar que um participante tem uma expectativa sobre algo que não será abordado durante o treinamento, informe isso logo no início e mencione onde ele poderá buscar mais informações sobre o assunto.

N: Registrar as regras básicas e o que esperar do treinamento.

As regras básicas se referem aos acordos que serão combinados entre o grupo. Para ganhar tempo, você pode fazer um slide ou escrever num *flip chart* as seguintes regras[7] (se necessário, complete com outras contribuições dos participantes):

Regras Básicas (se preferir escreva: Acordo ou Contrato)

- Começar e terminar nos horários combinados.
- Participar é desejado.

---

6 – Baseado em BOWMAN, S. *Training from the back of the room*: 65 ways to step aside and let them learn. San Francisco: Pfeiffer. 2009. pp.80

7 – Adaptado de BIECH, E. *Training & Development for Dummies* Hoboken, NJ: John Willey & Sons, Inc. 2015. pp.183,184.

- Permitir interação.
- Manter a mente aberta.
- Colocar os celulares no modo silencioso.
- Respeitar as opiniões dos outros.
- Todas as perguntas são bem-vindas.
- O que é falado aqui fica aqui.
- Outros....

Aproveite para anotar os horários de intervalo e alguma informação importante para o grupo como, por exemplo, um telefone ou a senha da internet.

Outra forma de construir as regras básicas, que aprendi com a consultora e amiga Maria Rita Gramigna, é a seguinte: faça um risco dividindo uma folha de *flipchart* ao meio (se preferir faça este gráfico no próprio slide do *powerpoint*). Em um dos lados desenhe a imagem de um coração (se preferir substitua por um presente) e abaixo da imagem escreva: "o que eu quero que esteja presente no treinamento". Ao lado desta imagem desenhe um cabide e escreva abaixo dele: "o que eu quero que fique de fora do treinamento". Inclua neste contrato, na parte inferior da página, a imagem de um par de óculos. Explique que os óculos simbolizam o futuro e que você quer levar do treinamento. Peça aos participantes completarem. A imagem ficaria assim:

Contrato		
Que eu quero que esteja presente?	**O que eu quero que fique de fora?**	**O que eu quero levar daqui?**
Participação Alegria...	Celulares tocando Preconceitos...	Troca de experiência Novas ideias...

G: Envolver os participantes.

Proponha uma atividade para facilitar a conexão e interação entre seu público. Conhecer um pouco sobre cada um, e sobre você (o instrutor), contribui para o treinamento fluir com envolvimento do grupo.

Depois de fazer uma abertura para despertar o interesse e estabelecer conexões entre os participantes, lembre-se de:

- Informar os objetivos do treinamento (mesmo que você já tenha falado sobre os benefícios dele).
- Iniciar no horário combinado.
- Passar informações sobre logística: locais para comer, onde estão os banheiros...
- Estabelecer sua credibilidade como instrutor: um breve currículo é suficiente. Lembre-se de que os participantes são as estrelas do show e não você.
- Chamar os participantes pelo nome.
- Permitir que o grupo o conheça tanto pessoal como profissionalmente.
- Criar um ambiente favorável: a ansiedade e o estado de aprendizagem não coexistem.

> *Para encontrar a resposta certa você deve fazer a pergunta certa.*
> **Anônimo**

Com perguntas

As perguntas, quando bem utilizadas num treinamento, são poderosas ferramentas para esclarecer significados, criar interação, avaliar o quanto o grupo compreendeu e evoluiu e, sobretudo, para contribuir para a aprendizagem.

Se mal utilizadas, podem intimidar e inibir os participantes. Como medo e aprendizagem não combinam, esteja preparado para e perguntar e responder de forma eficiente. Observe as técnicas a seguir:

PARA FAZER PERGUNTAS:

Antes de você começar a fazer perguntas, deixe claro para o grupo que todas as dúvidas deles são bem-vindas.

- Antecipe as possíveis questões que o grupo pode ter a respeito do tema e prepare-se previamente para respondê-las.

- Faça perguntas simples, objetivas e relevantes para o conteúdo que você está apresentando.

- Se fizer uma pergunta dirigida a alguém, mencione o nome da pessoa primeiro e depois formule a questão.

- Faça uma pausa depois de perguntar algo e esteja preparado para o silêncio da turma. É comum os instrutores ficarem desconfortáveis com o silêncio, portanto, tenha uma alternativa para lidar com a situação: o que você fará num caso desses? Em situações como essa, eu costumo usar algumas técnicas:

    - O senso de humor: "Por favor fale uma pessoa por vez, caso contrário eu não consigo anotar todas as respostas".

    - Sentar-se em uma cadeira ou apoiar-se em uma mesa e dizer: "Eu não estou com pressa. Tenho todo o tempo do mundo para ouvir uma resposta".

    - Dar um tempo para os participantes pensarem na resposta, mudar de atividade e depois retomar a pergunta.

- Se te fizerem uma pergunta e você avaliar que ela será respondida mais à frente, fale ao participante algo do tipo: "Rita, posso responder esta pergunta adiante? Por enquanto vou deixá-la anotada, ok?" Anote a pergunta num *flipchart* com um desenho e a palavra "estacionamento" escrita. A ideia é deixar as perguntas estacionadas num local visível até que você possa respondê-las.

- Se você julgar relevante fazer uma pergunta mesmo que o seu grupo não a tenha feito, você pode fazê-la e respondê-la. Você pode, por exemplo, questionar algo do tipo: "As pessoas costumam me perguntar sobre "x", e eu respondo que...

- Se você tiver planejado um tempo só para responder perguntas, mencione isso quando te fizerem uma. Você pode falar algo do tipo: "Vou dedicar os últimos 10 minutos antes do intervalo para responder perguntas, pode ser?". Siga com seu treinamento e respeite o tempo proposto.

- Se você perceber que o grupo não está à vontade para fazer perguntas:

  Evite dizer: "Alguma pergunta?"

  Prefira: "Quais perguntas vocês querem fazer?"

  Ou Peça que os participante formem subgrupos para fazerem perguntas sobre o tema.

- Mesmo com todo seu preparo, alguns participantes não se sentem à vontade para fazer perguntas na frente dos colegas; assim, esteja disponível após o treinamento física ou virtualmente (por e-mail) para esclarecer dúvidas. Lembre-os que a troca de e-mails entre vocês é confidencial.

PARA RESPONDER PERGUNTAS:
- Sempre agradeça pelas perguntas feitas e evite as expressões "ótima pergunta" ou "excelente reposta". Assim você evita possíveis desconfortos por parte dos demais participantes que podem se sentir preteridos ou intimidados. Basta falar: "Aline, muito obrigado pela pergunta" (ou resposta).

- Faça contato visual com todos os participantes ao responder qualquer questão.

- Deixe claro para o grupo se a sua resposta se baseia em fatos e dados, na sua experiência ou nas suas opiniões.

- Preste atenção ao conteúdo e à linguagem não verbal da pessoa que te faz perguntas. Se a intenção do participante é te irritar (isso acontece), não responda à provocação; mantenha o respeito nas palavras, nos gestos e na voz. O grupo ficará atento à forma como você vai conduzir este desafio. Lembre-se de que hostilidade gera hostilidade e respeito gera respeito.

- Fique atento à reação do grupo quando alguém fizer uma pergunta. Responder a mesma pergunta diversas vezes para mesma pessoa pode gerar irritação nas demais. Fique disponível para responder a esta pergunta mais tarde, em reservado, para esta pessoa.

- Se você receber uma pergunta "confusa", esclareça-a antes de a responder para se certificar de que você entendeu a dúvida. Você pode falar algo do tipo: "Me corrija se eu estiver errado: você esta querendo saber x e y, é isso?".

- Confira se a pessoa ou o grupo ficaram satisfeitos com a resposta dada; caso contrário, você pode perguntar algo do tipo: "Você precisa de mais detalhes ou de mais um exemplo?".

- Se você não souber a resposta para uma pergunta, mencione quando e como você pode esclarecê-la. Fale algo como: "eu não tenho a resposta agora. Vou pesquisar e te dou um retorno na segunda-feira, ok?" Ou pergunte se alguém do grupo sabe como resolver a questão.

- Já mencionei isso, mas quero reforçar o conceito: fique atento se alguém usar em alguma frase a conjunção *"mas" e seus sinônimos: "porém", "todavia", "entretanto", "no entanto", "contudo". Estas palavras negam a informação precedente.* Muitas pessoas, ao ouvirem a palavra "mas", colocam-se na defensiva e deixam de escutar o que vem depois. Você tem a opção de substituir o "mas" pelo "e", sem eliminar a mensagem positiva da primeira parte da frase. Veja o exemplo abaixo:

Se alguém disser: "Você está absolutamente correto, mas o ponto de vista do concorrente é diferente", evite discutir com essa pessoa, respondendo a ela com outro "mas". Substitua-o por "e" e prefira falar algo do tipo. "Sim, *e* essa é mais uma forma de abordar o assunto."

- Quando alguém iniciar uma pergunta com "Por que?" como, por exemplo: "Por que estamos fazendo isso?", evite ficar na defensiva e responder: "Porque sim." Na realidade, a pessoa está perguntando "Qual a utilidade disso?". Responda falando como a pessoa pode aplicar isso no mundo real e os benefícios daí obtidos.

- Se você desejar responder a uma pergunta que ninguém fez, sinta-se à vontade para fazê-la em nome do grupo. Por exemplo: "Algumas das perguntas mais frequentes que recebo sobre este tema são: .....? E eu respondo que...."
- Redirecione as perguntas e peça respostas de outras pessoas do grupo.

> *Um raciocínio lógico leva você de A a B.*
> *A imaginação leva você a qualquer lugar que você quiser.*
> ALBERT EINSTEIN

Em Transições

À medida que você faz a sua apresentação, tenha em mente que os participantes terão mais facilidade em acompanhá-lo se fizer transições suaves entre os diversos assuntos abordados. Ajudá-los a estabelecer conexões entre os temas vistos e a relevância dos mesmos facilita a memorização e a aprendizagem. Existem várias formas de fazer transições suaves, veja algumas delas:

- Desenvolver uma apresentação com sequência lógica em que um assunto leva naturalmente a outro.
- Para organizar suas ideias com uma sequência lógica, pense na frase: "Onde estávamos, onde estamos e para aonde vamos." Demonstre para o grupo numa imagem o ponto de partida, o caminho percorrido e o ponto de chegada. Fale ou peça para que os participantes expliquem as conexões entre as partes. Uma metáfora possível é a imagem de uma construção ou de uma viagem.
- Lembre-se de que ao desenvolver sua apresentação, os principais assuntos devem estar conectados: a introdução, o desenvolvimento e a conclusão; do contrário, não farão sentido.
- Faça o fechamento de um tema antes de seguir para o próximo, assegurando-se que não ficaram dúvidas pendentes.

- Às vezes, mais de uma sequência lógica pode ser apropriada para o grupo. Pense nas seguintes possibilidades para criar a lógica da sequência do conteúdo:
- Passo a passo: quando a tarefa é realizada numa determinada ordem.
- Do simples para o complexo: quando os participantes precisam desenvolver atividades mais simples primeiro e, em seguida, abordar as mais complexas
- Da visão geral para a detalhada: quando os participantes precisam ter uma visão geral do processo antes de aprenderem as etapas separadamente, de forma detalhada.

> *O caminho mais curto para fazer muitas coisas é fazer um só de cada vez.*
>
> SAMUEL SMILES

Na escolha do método de instrução

A variação da metologia de instrução mantém o treinamento interessante. Lembre-se de variar a metologia com frequência: algo muito bom em excesso pode se tornar cansativo. Não caia na armadilha de ministrar a mesma coisa sempre da mesma forma. Alguns conteúdos exigirão atualização. A pesquisa por alternativas novas vai aperfeiçoar o seu trabalho e inspirá-lo, e os participantes também sairão ganhando.

Você pode pesquisar novas formas de abordar o conteúdo assistindo colegas que ministram os mesmos temas que você. Fique atento às técnicas de instrução que eles usam. Outra possibilidade é convidar um colega para apresentar uma parte do treinamento para trazer uma nova perspectiva aos participantes, além de ler os livros, artigos, sites ou formar um grupo de estudos sobre o tema.

Abaixo apresento alguns métodos de instrução:

- Palestra ou aula expositiva: para tornar a palestra eficiente, você pode solicitar uma leitura prévia do conteúdo e pedir aos participantes formarem subgrupos para discussão do tema.
- *Role play* ou dramatização: os participantes dramatizam papéis ou comportamentos para praticar habilidades ou aplicar o que aprenderam.
- Discussão em grupo.
- Autodescoberta: os participantes se informam sobre o conteúdo do treinamento por conta própria, com pesquisas ou leitura dirigida.
- Estudo de caso: os participantes irão apresentar soluções para um problema baseados no conteúdo apresentado no curso.
- Jogos.
- Filmes.
- *Brainstorming*: participação espontânea de todos os membros de um grupo para gerar ideias para resolver um problema
- Demonstração com prática.
- Recursos impressos: apostilas, folhetos, livros.
- Exercícios de autoavaliação.
- Atividades experienciais (práticas).

> *O que eu ouço, eu esqueço.*
> *O que eu vejo, eu lembro.*
> *O que eu faço, eu entendo.*
> **Confúcio**

Em atividades experienciais

Atividades experienciais são aquelas em que os participantes "experienciam" o que vão aprender antes de discutir o conteúdo. Quando conduzidas de forma eficiente, geram aprendizado e autodescoberta.

Para facilitar atividades experimentais é essencial que o grupo entenda com clareza as instruções. Para isso, fale devagar, seja claro e simples, e, se necessário, use recursos visuais na sua explicação.

A aprendizagem obtida por meio de uma atividade experiencial ocorre quando os participantes são capazes de identificar o conhecimento ou habilidade adquiridos durante a atividade e transferi-los para a vida real.

Não parta do princípio de que todos os participantes serão capazes de fazer a transferência da aprendizagem para o dia a dia *automaticamente*. Às vezes, eles não conseguem estabelecer estas conexões e muitos se perguntam: "Para que fizemos esta atividade?" Isto pode ser frustrante.

Para garantir que a aprendizagem ocorreu, utilize o ciclo de aprendizagem vivencial ou C.A.V. baseado no modelo de David Kolb[8]:

1. **Vivência**: os participantes fazem a atividade com a condução do facilitador

2. **Relato**: os participantes descrevem os acontecimentos da atividade. Para isso, faça perguntas amplas e, em seguida, específicas. Algumas perguntas:
   - O que vocês observaram?
   - Como você se sentiram?

3. **Processamento**: os participantes analisam o que ocorreu durante jogo e fazem relações com o resultado obtido.

4. **Perguntas**: novamente faça perguntas amplas e depois específicas. Alguns exemplos:
   - Como você pode explicar o que aconteceu?
   - Quais os fatores que contribuíram para o resultado "X"?

---

8 – Adaptado de BIECH, E. *Training & Development for Dummies*. Hoboken, NJ: John Willey & Sons, Inc. 2015 pp.166 a 168

5. **Generalização**: os participantes transferem a aprendizagem da atividade para o mundo real por meio de generalizações.
    - O que vocês aprenderam com a atividade?
    - O que isto te sugere sobre a habilidade (comunicação, por exemplo) em geral?
    - Isto pode ocorrer na vida real?
6. **Aplicação**: o facilitador contribui para que o aprendizado seja praticado em outras situações. Ele pode perguntar:
    - O que vocês farão de diferente no futuro como resultado deste exercício?
    - Como vocês vão transferir este aprendizado para o dia a dia?
    - Como e quando vocês irão praticar o aprendizado?

Mel Silberman[9], um especialista em atividades experimentais, propõe que fazer perguntas após a atividade experiencial contribui para completar o ciclo de aprendizagem e facilitar a aplicação do conhecimento na vida real. O autor sugere três etapas para fazer perguntas

1. Perguntas relacionadas com a descrição do que aconteceu durante a atividade:
    - Quais foram as suas reações durante a atividade?
    - O que vocês observaram?
    - O que vocês pensaram
    - O que vocês sentiram?
2. Perguntas relacionadas com a aprendizagem:
    - O que vocês aprenderam?
    - E o que reaprenderam?

---

9 – Adaptado de: SILBERMAN, M. *Unforgettable experiential activities*. San Francisco: Pfeiffer, 2010. pp.2 e 3

- Quais os benefícios que vocês obtiveram desta atividade?
- Quais são as implicações da atividade?
- Como esta experiência está relacionada com o mundo real?
3. Perguntas relacionadas com a prática
    - O que vocês podem fazer de forma diferente no futuro?
    - Como vocês vão aplicar o que vocês aprenderam?
    - Como vocês podem transferir esta aprendizagem para outras áreas?

> *Não chore porque acabou,
> sorria porque aconteceu.*
>
> DR. SEUSS

Em encerramentos

Como já mencionei no início do capítulo, as pessoas tendem a se lembrar melhor do começo e do final de uma apresentação. Você tem várias opções para encerrar seu treinamento de forma memorável.

Para fazer um bom encerramento considere:

RECAPITULAR AS INFORMAÇÕES.
Você pode escrever as palavras-chave, ou apresentar imagens sobre os diferentes assuntos abordados e pedir para que os participantes resumam o que foi visto.

CONFERIR SE AS EXPECTATIVAS FORAM ATENDIDAS.
Mencione os objetivos do curso e confirme se foram alcançados. Retome o contrato estabelecido no início e verifique se as expectativas foram atendidas. Chame atenção para o objetivo geral e o valor aprendido. Você também pode pedir para que os participantes completem uma avaliação por escrito sobre o treinamento.

CRIAR IMPACTO EMOCIONAL.
Você pode encerrar seu treinamento com simplicidade e elegância e criar impacto emocional. Para isso:

- Escolha uma música.
- Use uma citação.
- Conte uma história sobre satisfação e comemoração.
- Apresente o trecho de um filme ou um comercial.
- Qualquer recurso que você escolher deve ser coerente com a mensagem que deseja transmitir. Seria estranho fazer um encerramento muito sério para um treinamento animado.
- Faça uma atividade para celebrar as conquistas: os participantes investiram tempo, energia e dinheiro para te assistir. Agradeça-os e toda a equipe de apoio que contribuiu para treinamento acontecer.
- Apresente fotos do grupo ou um filme com os melhores momentos do treinamento.
- Reconheça os riscos assumidos pelos participantes e o trabalho bem-feito.
- Compartilhe uma experiência pessoal sobre o tema apresentado.

OBTER COMPROMISSO COM A AÇÃO.
Lembre-se de que um dos objetivos dos treinamentos é promover mudanças. Ofereça tempo para que eles reflitam sobre o conteúdo e criem um plano de ação. Você pode perguntar aos participantes:

- O que você vai começar a fazer após o treinamento?
- O que você vai parar de fazer (ou deixar para trás) após o treinamento?
- O que você vai modificar após o treinamento?
- O que você vai praticar no trabalho? E na sua vida pessoal?

- Proponha a formação de duplas e peça para que cada um mencione uma coisa que vai praticar após o treinamento e a outra pessoa poderá cobrar esta ação por meio de um telefonema ou e-mail, após o prazo de uma semana. (Esta é uma forma de você criar uma "rede" de compromissos.)
- Peça para os participantes completarem a frase: Após este treinamento eu vou...

Nós desejamos que os participantes pratiquem o aprendizado após o treinamento, para isso podemos propor atividades depois do término como por exemplo: envolver os gestores no processo, divulgar as melhores práticas após o retorno ao trabalho, lembra-los do conteúdo com um e-mail etc... Veja que todas estas sugestões visam colocar em prática o que foi aprendido, e uma boa avaliação de reação do treinamento e do facilitador não significa necessariamente que ocorrerá uma mudança e uma transferência do aprendizado para o mundo real. Mesmo após o término do treinamento podemos incentivá-los a praticar.

> *Dentro de todo homem há uma*
> *criança escondida que quer brincar.*
>
> FRIEDRICH NIETZSCHE[1]

Atividades "quebra-gelo"

Sharon Bowman, uma especialista em treinamento, observa que alguns ambientes de trabalho são caracterizados pelo estresse, pela pressão para alcance de resultados e pela competitividade. Os colaboradores aprendem a esconder os erros, não são estimulados a fazer perguntas e são condicionados a seguir regras ao invés de assumir riscos. Quando estas pessoas que trabalham juntas neste ambiente "hostil" participam juntas de um mesmo treinamento, elas tendem a não se sentirem seguras umas com as outras. Não parta do princípio de que pelos simples fato de trabalharem juntas as pessoas se sentirão à vontade e seguras entre si.

A maioria das pessoas aprende melhor quando se encontra num ambiente seguro do que num ambiente hostil. Cabe ao instrutor construir um ambiente de segurança psicológica onde os participantes sintam-se confortáveis para: *"fazer perguntas, tentar novas habilidades, errar, expressar opiniões e assumir riscos enquanto aprendem.*[2]*"*

---

1 - BUCHSBAUM, P. E. L. (pesquisa e seleção), *Frases geniais*, Rio de Janeiro: Ediouro, 2004. p. 324.

2 - BOWMAN, S. L. *Training from the back of the room!*: 65 ways to step aside and let them learn. San Francisco: Pfeiffer 2009. p. 76.

Atividade quebra-gelo: é geralmente uma atividade curta para ajudar os participantes a superar a ansiedade inicial num treinamento e/ou para contribuir para que possam interagir socialmente entre si. Estas atividades também são úteis para fazer pausas ao longo do treinamento, oferecendo "um descanso para mente".

Para usar estas atividades de forma eficiente, observe as dicas abaixo:

- Nunca proponha uma atividade que qualquer pessoa no grupo não se sinta à vontade para fazer. Qualquer prática proposta deve contribuir para aumentar a segurança e ninguém deve sentir que está "pagando mico".

- Introduza a atividade de quebra-gelo, dê as instruções e explique o objetivo dela. Lembre-se de que os participantes aprendem melhor quando sabem porque estão realizando algo. A sua explicação pode ser simples: "Agora faremos uma atividade para nos conhecermos melhor".

- Escolha a atividade baseando-se no perfil do seu grupo. Uma mesma prática adequada para um grupo de engenheiros pode não servir para um grupo de vendedores.

- Escolha uma atividade que esteja relacionada com o conteúdo do treinamento apresentado. Por exemplo, se estiver ministrando um treinamento de comunicação, escolha um quebra-gelo relacionado com o tema.

- Observe a reação dos participantes durante a atividade. Isto contribui para conhecer um pouco mais sobre o perfil do grupo e dos participantes. Você pode identificar, por exemplo, se o grupo é mais descontraído ou mais sério ou quem são os líderes do grupo.

- Observe o tempo. Fique especialmente atento para este item: por mais interessante que seja a atividade, e apesar de contribuir para gerar mais integração entre os participantes, depoimentos pessoais em grupos superiores a 25 pessoas tornam-se tediosos. Para evitar esta armadilha, tente outra estratégia: faça uma rápida apresentação individual e, em seguida, os depoimentos pessoais podem ser feitos em subgrupos.

- Dependendo do grupo onde o treinamento for ministrado, evite usar a palavra "atividade quebra-gelo". Lembre-se de que se trata de um jargão da área de treinamento e as pessoas podem ter uma percepção negativa sobre isso, então, você pode apresentar as instruções do exercício sem mencionar o fato de ser uma atividade quebra-gelo. Exemplo: "Durante o nosso treinamento vamos abordar o tema liderança. Por favor, formem grupos de cinco pessoas, apresentem-se falando nome e atividade de vocês e mencionem a experiência que cada um de vocês tem sobre este tema."

Atividades "quebra-gelo" para estimular a criatividade

O exemplo de sucesso (proposto por Bob Preziosi)[3]

a. Após a apresentação incial, divida a classe em subgrupos de 4 a 6 pessoas. Forneça uma caneta e duas folhas de papel por grupo.

b. Faça ao grupo duas perguntas: "Quem foi (o)a (em branco) mais bem-sucedido(a) que você já conheceu? O que ele ou ela fizeram ou fazem para você considera-lo(a) o melhor? "Como ele(a) faz com que você se sinta?" Observação: O instrutor completa o espaço em branco de acordo com o conteúdo do curso em questão. Se for um treinamento de vendas, o instrutor poderia completar o espaço em branco com a palavra "vendedor". O objetivo do exercício é que o grupo construa um modelo do papel ou do comportamento que será abordado pelo treinamento. O termo que será completado no espaço em branco serve como uma introdução para o assunto que virá a seguir.

c. Peça para cada subgrupo escrever as respostas para cada pergunta na folha de papel fornecida.

---

3 – *Train the Trainer Guide:* Foundations and Delivery. The Basics to becoming a Successful Trainer. ASTD Press © 2008 *Infoline* and the American Society for Training and Development. pp.178

d. Ofereça 15 minutos para cada subgrupo discutir e escrever as respostas. À medida que cada um termina, um representante do grupo pendura as folhas na parede ou cada grupo descreve as suas descobertas ao terminarem a atividade.

e. Faça um resumo da atividade fazendo conexões com o conteúdo do treinamento.

"Puxa-Conversa"

Você pode encontrar em algumas livrarias perguntas previamente impressas em forma de baralho. Distribua o baralho e peça para que cada pessoa pegue uma carta e escolha alguém para fazer uma pergunta. A pessoa que respondeu a pergunta escolherá outro participante para fazer uma pergunta e assim por diante. Basta ir puxando as cartas para descobrir coisas novas sobre cada participante. Para que as pessoas sintam-se à vontade, sugira as seguintes regras: os participantes não são obrigados a responder nenhuma pergunta se não desejarem; além disso, se não gostarem da pergunta retirada do baralho, podem trocá-la.

Variação: Crie seu próprio baralho com perguntas que podem estar relacionadas aos temas abordados no treinamento.

Brainstorming em grupo.[4]

Peça aos participantes formarem subgrupos de 4 a 6 pessoas e, em seguida, solicite que façam uma lista de coisas que são redondas, coisas associadas com um feriado, coisas vermelhas e assim por diante. Não permita que ocorra grandes discussões. Peça para que o grupo elabore uma lista, sem pensar muito. O subgrupo que tiver listado o maior número de itens é o vencedor.

Variação: você pode escolher uma palavra que esteja relacionada com um assunto abordado no treinamento.

---

4 – Adaptado de *Train the Trainer Guide*: Foundations and Delivery. The Basics to becoming a Successful Trainer. ASTD Press © 2008 *Infoline* and the American Society for Training and Development. p. 186.

Bainstorming com bola inflável (proposto por Susan Boyd)[5]

Esta atividade é interessante para fazer com que as pessoas se movimentem. Defina um tema para o grupo, por exemplo, coisas associadas com um feriado, ou coisas associadas com a empresa. Peça aos participantes ficarem de pé e cada um que recebe a bola deve falar uma palavra relacionada com o assunto em questão. Em seguida, este participante joga a bola para outro e assim por diante.

Duas verdades e uma mentira

Solicite para cada participante pensar em alguns minutos, em três declarações das quais duas serão verdadeiras e uma será uma mentira. Cada pessoa falará em voz alta as declarações e cabe ao grupo descobrir qual é a mentira. Você poderá falar algo do tipo: "o meu hobby preferido é fazer alpinismo, adoro cozinhar e acredito que dormir é uma perda de tempo." Em grupos de até doze pessoas, um participante poderá falar e os outros participantes tentarão adivinhar qual a mentira. Se você julgar que o grupo é muito grande, peça para que eles formem subgrupos menores.

Coisas que temos em comum

Este quebra-gelo é uma variação do exercício anterior "duas verdades e uma mentira" proposto por Mel Silberman[6]. O exercício é adequado para grupos de até 20 pessoas e pode durar entre 20 e 30 minutos de acordo com as instruções:

a. Peça para o grupo formar pares. Se necessário, você fará uma dupla com outra pessoa.

b. Fale para as duplas encontrem o maior número possível de fatos em comum entre eles. Para ajudá-los, proponha o seguinte:

   Exemplos de aspectos em comum:

   Família: somos os filhos mais velhos

---

5 - *Train the Trainer Guide*: Foundations and Delivery. The Basics to becoming a Successful Trainer. ASTD Press © 2008 *Infoline* and the American Society for Training and Development. p. 178.

6 - SILBERMAN, M., *Unforgettable experiential activities*. San Francisco: Pfeiffer, 2010. p. 16.

Hobbies: gostamos de assistir seriados na tv
Preferências: não gostamos de coentro
Experiências de vida: já viajamos para o Peru

c. Após 10 minutos, solicite às duplas que escolham os dois pontos em comum mais "intrigantes" e que um deles não seja verdade. O objetivo será desafiar os outros participantes a descobrir qual é a mentira.

d. Reúna o grupo original com os pares sentados lado a lado e peça para que eles descrevam 3 pontos em comum escolhidos (na realidade, dois são verdadeiros e um é falso). Depois de apresentar os aspectos em comum, peça aos outros participantes descobrirem qual é o aspecto falso. Em seguida, peça para a dupla revelar a verdade.

Você me apresenta, eu te apresento
(proposto pela amiga Paula Falcão)

Às vezes é mais fácil apresentar outra pessoa do que a si mesmo. Forme duplas, uma pessoa irá entrevistar a outra pessoa fazendo perguntas que podem ser dirigidas ou não. Depois da entrevista, com duração de 5 minutos (para cada participante), as pessoas invertem os papéis. As respostas são anotadas e depois cada um apresentará o colega com quem formou a dupla. As perguntas dirigidas podem incluir as seguintes informações: nome, quanto tempo trabalham na empresa, algo interessante sobre a pessoa, e algo que ela gostaria de aperfeiçoar após o treinamento. Peça para um voluntário iniciar as apresentações.

As atividades quebra-gelo são muito eficientes para contribuir para a aprendizagem, pois elas também oferecem "pausas" ao longo do treinamento e isto favorece a retenção de informações. Tenha em mente dois princípios fundamentais de treinamento do século 21, "segmentos curtos de instrução são mais eficientes do que segmentos longos, e os participantes lembram-se mais do conteúdo quando tem participação ativa no treinamento[7]". Uma atividade quebra-gelo proporciona um "descanso" para a mente ao longo de um

---

7 – Adaptado de BOWMAN, S., *Training from the back of the room, 65 ways to step aside and let them learn*. San Francisco: Pfeiffer, 2009. p. 5.

treinamento. Esta pausa pode ser necessária para trazer mais energia para o grupo. Neste sentido, a atividade não precisa estar necessariamente ligada ao conteúdo, já que objetivo é fazer uma pausa. Como falamos anteriormente, os adultos aumentam as chances de aprender algo quando eles sabem porque estão realizando determinada atividade, e isso não significa propor uma atividade considerada "sem graça" pelo seu público, você pode sugerir uma atividade divertida.

Uma atividade quebra-gelo pode gerar resistência no grupo quando os participantes não conseguem estabelecer relações entre a atividade e a aprendizagem, gerando a sensação de que a mesma "não faz sentido". Uma forma elegante de superar este obstáculo é esclarecer o objetivo do quebra-gelo. Você pode falar algo do tipo: "Antes de apresentar o novo tópico, vamos fazer uma atividade para: descansar a mente e trazer mais energia para o grupo."

Os quebra-gelo têm um espaço num de treinamento, e contribuem para o grupo reter informações e criar conexões sociais. Entretanto, você também precisa tomar decisões com relação ao tempo disponível. Quando você tiver muito conteúdo para ser apresentado num espaço curto de tempo, pode propor uma atividade de conexão[8] que permita que os participantes estabeleçam conexões entre si e com o conteúdo a ser apresentado que pode ser feito de diversas formas[9]:

Conectar os treinandos entre si: ofereça atividades para que os participantes estabeleçam conexões entre si que estejam relacionadas com o conteúdo do treinamento.

Conectar os treinandos com o tema: ofereça atividades para que os participantes escrevam ou discutam o que eles sabem (ou acham que sabem) sobre o tema. Isto facilita a retenção, já que as novas informações serão conectadas com as mais antigas.

---

8 – Alguns autores definem quebra-gelo como sendo atividades que não têm necessariamente conexão com o tópico apresentado. Atividades de conexão estão relacionadas com o conteúdo apresentado.

9 – Adaptado de Sharon Bowman, Training from the back of the room, 65 ways to step aside and let them learn (San Francisco: Pfeiffer, 2009) pp. 76-85

Conectar os treinandos com objetivos pessoais: ofereça atividades para que os participantes escrevam ou discutam o que especificamente eles desejam aprender do treinamento. Isto permite alinhar os objetivos pessoais com os resultados do treinamento e também esclarecer para si mesmos o que eles desejam levar para si desta ocasião.

Conectar os treinandos com os resultados do treinamento: ofereça atividades para que os participantes escrevam ou discutam o que eles estarão aptos a fazer após o término do treinamento. Isto aumenta as chances dos mesmos colocarem em prática a nova aprendizagem.

Como descreve Sharon Bowman, as aberturas são particularmente importantes para criar conexões seja entre os participantes, seja com o tema apresentado, com os objetivos pessoais ou com os resultados do treinamento.

Na prática, observamos com frequência que vários anúncios não relacionados com a aprendizagem (apresentação do programa, descrição extensa do currículo dos instrutores) são feitos antes das atividades de conexão. Lembramos que o foco do treinamento são os participates e a aprendizagem e não o currículo do facilitador, então, sugiro iniciar o programa de treinamento com foco nos participantes. Sempre haverá tempo para mencionar informações relevantes ao programa após atividades de conexão relacionadas com a aprendizagem.

Observe a lista de que descreve a aberturas de programas de treinamentos tradicionais [10]:

- O instrutor cumprimenta as pessoas e apresenta a si mesmo.

- O instrutor anuncia o título do treinamentos, os temas abordados e os objetivos instrucionais.

- O instrutor menciona aspectos administrativos: horários dos intervalos, localização dos banheiros, normas para o uso de telefones celulares etc...).

---

10 – Adaptado de BOWMAN, S. *Training from the back of the room,* 65 ways to step aside and let them learn. San Francisco: Pfeiffer, 2009. p. 74.

- Os participantes apresentam a si mesmos.
- Os participantes participam de um quebra-gelo que talvez não tenha nada a ver com o tema do treinamento.

Veja que não há nada de errado com esta lista com exceção da mesma não estar relacionada ao tema do treinamento e não ter nada a ver com aprendizagem. Insisto neste ponto porque as pessoas tendem a se lembrar mais das aberturas e encerramentos e por este motivo é preciso estar muito bem preparado.

As autoras Tricia Emerson e Mary Stuart[11], relatam que as palavras mais odiadas em aberturas de treinamentos são: *"Vamos circular pela sala e falar pra o colega: o seu nome, o que você gostaria de levar deste treinamento, um problema que você gostaria de discutir e um fato surpreendente sobre você"*. Elas lembram que, embora esta estrutura tenha bons objetivos, está muito desgastada porque não é espontânea, nem criativa; deixa as pessoas nervosas e os participantes param de prestar atenção uns aos outros. Na era de redes sociais, as autoras propõem fazer conexões usando algumas estratégias usadas em sala de bate-papo:

- Crie uma sala de bate-papo, proponha uma pergunta para o grupo, permita que cada um responda e que todos possam ler as respostas.
- Peça aos participantes trazerem uma página (feita em casa e escrita numa folha de *flipchart*) de uma rede social imaginária do tipo "facebook" com informações relevantes do tipo: nome, área de atuação, hobbies etc. Pendure as folhas na sala e permita que os participantes possam se apresentar ou interagir com este material.

Para concluir, qualquer que seja o quebra-gelo escolhido, esteja ele relacionado com o conteúdo do treinamento ou não, fique atento para o impacto que ele causa sobre o grupo. Se você optar por uma atividade e avaliar que ela não está sendo eficiente para o grupo, use sua criatividade e fique à vontade para mudá-la.

---

11 – Tricia Emerson & Mary Stuart, *The Learning & Development book change the way you think about L&D*. Alexandria: ASTD Press, 2011. p. 108.

> *Experiência não é o que acontece com um homem;*
> *é o que um homem faz com o que lhe acontece.*
>
> ALDOUS HUXLEY[1]

A avaliação

A avaliação do facilitador e do treinamento tem vários propósitos; os principais são identificar o que deu certo e fazer um levantamento do que você modificaria. O *feedback* sincero de colegas e dos participantes é uma valiosa ferramenta de aperfeiçoamento.

O desafio dos facilitadores e profissionais de treinamento é identificar quais as competências necessárias para demonstrar um bom desempenho. Para isso, é útil conhecer associações como a ATD (*Association for Talent Development* - www.td.org), sediada nos Estados Unidos. Há mais de trinta anos, a ATD criou um modelo de competências que define padrões de excelência e profissionalismo na área de treinamento e desenvolvimento.

O modelo de competências busca responder a seguinte pergunta: "O que um profissional da área de treinamento e desenvolvimento precisa *saber* e precisa *fazer* para ser bem-sucedido?". Para tanto, utiliza-se de: pesquisas rigorosas com profissionais da área, levantamento das perspectivas de usuários de programas de treinamento e entrevistas com especialistas e com os membros da própria associação.

---

1 – http://pensador.uol.com.br/autor/aldous_huxley/

Em poucas palavras, o conceito de competências neste contexto são os conhecimentos, as habilidades e atitudes necessárias para se ter sucesso na área treinamento e desenvolvimento (T&D). A proposta do estudo de competências (*Competency Study®*) não é "engessar" o profissional de T&D, mas sim atualizá-lo e permitir que faça as adaptações necessárias para sua realidade, uma vez que este modelo é revisto com regularidade e apresenta as tendências futuras do mercado.

De acordo com a última pesquisa realizada, cinco grandes tendências influenciaram as competências necessárias para o sucesso emT&D. São elas: a tecnologia digital e móvel, as mídias sociais, as mudanças demográficas, a crescente globalização e a incerteza econômica.

A mais recente publicação do estudo de competências[2] ocorreu em 2013 e descreve dez áreas de expertise para os profissionais de treinamento e desenvolvimento. No que se refere à área de facilitação ou instrução – em tradução livre do inglês *training delivery* –, o estudo propõe as seguintes ações para o sucesso do instrutor profissional:

1. Gerenciar o ambiente de aprendizagem.
2. Preparar-se para a facilitação ou instrução.
3. Informar os objetivos instrucionais aos participantes e os benefícios alcançados com o treinamento.
4. Alinhar as soluções de aprendizagem com os objetivos do curso e com as necessidades dos participantes. (Envolve ficar atento ao *feedback* recebido dos participantes para fazer os ajustes necessários.)
5. Estabelecer credibilidade como instrutor.
6. Criar um ambiente favorável à aprendizagem. (Em que os participantes se sintam seguros para testar novas habilidades.)
7. Usar diversas metodologias de ensino.
8. Facilitar o aprendizado.

---

2 – *Competency Study The Training & Devolpment Proffession Redefined*. ASTD Press, 2013 Justin Arnesson, William J. Rothwell Jennifer Naughton pp. 97-99.

9. Estimular a participação.

10. Garantir que os objetivos instrucionais foram alcançados.

11. Oferecer *feedback* construtivo.

12. Avaliar soluções e monitorar o impacto da solução de aprendizagem para assegurar a sua eficiência.

Em minha opinião, uma das grandes vantagens da criação de um modelo de competências baseado em dados de profissionais da área, levando em conta as tendências de mercado, é ter bases sólidas para a construção de comportamentos observáveis para avaliação do desempenho de profissionais de T&D.

Só para lembrar: a base conceitual destas competências está em um treinamento:

Centrado no participante: que considera as necessidades e características dos participantes, e

Baseado no desempenho: que cria oportunidades para que os participantes possam agir e alcançar resultados observáveis.

Ao longo do livro, ressaltei a importância de construir um treinamento que tenha por objetivo melhorar o desempenho dos participantes, por meio de resultados observáveis. Caso contrário, é pouco provável que possamos avaliar os resultados alcançados.

O mesmo é válido para o desempenho dos facilitadores. Avaliar o desempenho de um facilitador por meio de comportamentos observáveis baseados em competências é uma excelente ferramenta de autodesenvolvimento que permite aperfeiçoar a eficiência da facilitação. Além disso, garante a padronização da qualidade dos treinamentos ministrados nas empresas.

Para usar o *check-list* a seguir como ferramenta de autodesenvolvimento, você pode pedir para um colega te observar facilitando uma sessão de treinamento. Peça para ele fazer anotações a respeito do que observou. Use o *feedback* recebido para aperfeiçoar a sua facilitação e melhorar o seu desempenho.

Se você avaliar o desempenho de outros colegas, certifique-se de entregar o formulário para ele ter conhecimento dos itens pelos quais será avaliado.

Apresentarei dois documentos de avaliação de competências de autores distintos. Você vai observar que nem todos os itens se aplicam à sua realidade. Caso tenha um formulário próprio, veja se pode aperfeiçoá-lo com as sugestões abaixo. A ideia é garantir a qualidade da facilitação por meio de comportamentos observáveis baseados em competências.

Check-list de Competências de Treinamento/Facilitação (Adaptdado de Elaine Biech[3] e do modelo de competências da ATD[4])

Competência	Você observou?	Comentários/ ideias
PREPARAR-SE	• Organizou o espaço físico para o treinamento? • Organizou a agenda do treinamento? • Planejou intervalos? • Fez um levantamento prévio sobre os participantes? • Fez um levantamento de exemplos relevantes para o grupo? • Fez uma revisão do material do participante e do facilitador? • Preparou e organizou os materiais a serem distribuídos?	

---

3 – BIECH. E., *Training & Development for Dummies*. Hoboken, NJ: John Willey & Sons, Inc. 2015. pp. 302-305.

4 – *Competency Study The Training & Devolpment Proffession Redefined*. ASTD Press, 2013 Justin Arnesson, William J. Rothwell Jennifer Naughton pp. 97-99.

Competência	Você observou?	Comentários/ideias
FACILITAR O APRENDIZADO	• Apresentou uma introdução eficaz? • Explicou os objetivos claramente aos participantes? • Apresentou o conteúdo com uma sequência lógica? • Planejou o treinamento incluindo tempo alocado para fazer exercícios? • Apresentou instruções claras para as atividades? • Ofereceu tempo amplo para prática? • Fez o processamento das atividades? • Conectou atividades aos objetivos de aprendizagem durante o treinamento? • Variou o uso de metodologias para facilitação (jogos, estudos de caso, exercícios, filmes...)? • Criou exemplos e analogias para assegurar relevância para os participantes? • Utilizou bem o tempo com transições suaves entre as múltiplas atividades? • Usou recursos visuais de forma eficiente? • Usou ritmo apropriado? • Usou pequenos grupos para as atividades? • Manteve foco no assunto? • Fez perguntas para aumentar as oportunidades de aprendizado? • Respondeu às perguntas dos participantes adequadamente?	

Competência	Você observou?	Comentários/ ideias
CRIAR UM AMBIENTE FAVORÁVEL À APRENDIZAGEM	• Criou um ambiente de aprendizagem em que os participantes se sentem seguros para testar novas habilidades e comportamentos? • Respeitou as diferenças individuais? • Ofereceu *feedback* respeitoso (dirigido ao comportamento)? • Assegurou a participação entre os participantes e consigo de maneira respeitosa e focada no aprendizado? • Agregou os comentários e exemplos dos participantes na facilitação? • E durante o treinamento? • Ofereceu tempo para socialização?	
INCENTIVAR A PARTICIPAÇÃO	• Esforçou-se para engajar todos os participantes (passivos ou resistentes)? • Demonstrou estar relaxado e acessível? • Usou eficazmente a linguagem corporal, o tom de voz, o nome dos participantes e outras técnicas para construir *empatia* e confiança? • Solicitou diretamente a participação do grupo? • Compartilhou exemplos pessoais? • Demonstrou não julgar os participantes? • Agradeceu as contribuições dos participantes?	

Competência	Você observou?	Comentários/ideias
APRESENTAR O CONTEÚDO	• Falou com clareza, com poucos erros de linguagem? • Deu instruções e explicações objetivas? • Resumiu o conteúdo com clareza? • Projetou a voz com eficiência? • Criou discussões que envolveram o grupo como um todo? • Ouviu bem? • Confirmou se compreendeu corretamente? • Demonstrou conhecimento do assunto? • Usou o humor de forma adequada?	
GERIR DESAFIOS	• Lidou com eventos inesperados profissionalmente? • Lidou bem com participantes difíceis? • Respondeu a perguntas desafiadoras? • Demonstrou flexibilidade? • Geriu o tempo e o conteúdo? • Geriu as respostas incorretas de forma a preservar a relação entre os participantes e o facilitador.	

Competência	Você observou?	Comentários/ideias
MEDIR O PROGRESSO DA APRENDIZAGEM	• Confirmou se os objetivos foram alcançados? • Confirmou a aplicabilidade no trabalho? • Usou exemplos relevantes? • Usou alguma técnica para avaliar a compreensão dos conhecimentos ou das habilidades dos participantes? • Avaliou o sucesso dos participantes nas atividades de acordo com os objetivos de aprendizagem? • Ofereceu tempo para as perguntas e respostas do grupo? • Verificou o entendimento dos temas abordados por meio da utilização de uma variedade de perguntas? • Ofereceu oportunidade de processamento apropriado aos exercícios?	
ESTABELECER CREDIBILIDADE	• Demonstrou compreensão do conteúdo alinhado com as necessidades do grupo (ou da empresa)? • Usou linguagem adequada e exemplos relevantes para o grupo (a empresa)? • Contribuiu para o grupo aplicar o conhecimento na realidade do dia a dia? • Demonstrou segurança? • Manteve a compostura? • Descreveu experiências pessoais?	
OFERECER FEEDBACK CONSTRUTIVO	• Ofereceu *feedback* comportamental sobre o desempenho dos participantes durante ou após o exercícios propostos? • Ofereceu exemplos específicos de como melhorar o desempenho?	

Competência	Você observou?	Comentários/ ideias
AVALIAR A SOLUÇÃO DE TREINAMENTO PROPOSTA	Monitorou o impacto dos resultados do treinamento ao longo do programa? Pediu *feedback* do grupo? Anotou recomendações para a melhoria?	

Formulário de Observação e Feedback para o Instrutor[5]

Item	Você observou?	Comentários/ Ideias
ANTES DO TREINAMENTO	• Organizou a sala eficientemente? • Fez um levantamento sobre o grupo? • Posicionou e testou os materiais a serem distribuídos aos participantes? • Preparou-se em termos de conteúdo e materiais?	
DURANTE A FACILITAÇÃO AÇÕES	• Apresentou objetivos claros e com significado? • Verificou os conhecimentos, habilidades e atitudes dos participantes? • Apresentou instruções e explicações claras? • Apresentou exemplos claros e relevantes quando necessário? • Verificou o desempenho e o aprendizado dos participantes? • Ofereceu *feedback* de forma construtiva? • Administrou bem o tempo de instrução? • Resumiu e concluiu eficientemente?	

---

5 – Adaptado de Harold Stolovitch e Erica Keeps, Beyond *Telling Ain't Training Fieldbook* Methods, Activities, and Tools for Effective Workplace Learning pp. 135-136. ASTD Press 2005 Tradução autorizada pelos autores

Item	Você observou?	Comentários/ Ideias
ATRIBUTOS	• Criou e manteve um clima favorável à aprendizagem? • Falou clara e corretamente? • Usou recursos de voz de forma eficiente? • Usou bem a expressão corporal? • Manteve contato visual adequado com os participantes? • Manteve controle do grupo? • Demonstrou interesse no conteúdo? • Demonstrou interesse nos participantes? • Transmitiu uma imagem organizada e profissional? • Demonstrou segurança?	
APÓS A INSTRUÇÃO	• Arrumou a sala para o próximo treinamento? • Retirou os equipamentos e materiais que não serão mais utilizados? • Acompanhou a instrução com alguns participantes individualmente quando necessário? • Corrigiu os trabalhos (exercícios) dos participantes pontual e corretamente? • Completou os relatórios e documentos necessários pontual e corretamente?	

Aguardar até saber o bastante para agir é condenar-se à imaturidade.

JEAN ROSTAND[1]

Palavras finais

Diz a fábula que o mestre e seu discípulo estavam caminhando. O primeiro tentava passar alguns ensinamentos ao segundo.

Numa determinada etapa da conversa, o discípulo não conseguia assimilar o que o mestre tentava lhe passar.

Então o mestre sugeriu que eles voltassem ao templo, pois queria tomar chá.

Chegando ao templo, o mestre solicitou ao discípulo que preparasse um bule de chá.

O discípulo, prestativo, foi.

Voltou com o chá pronto, no bule, e as xícaras. Imediatamente serviu o mestre.

Para surpresa do discípulo, quando ia encher a sua própria xícara, o mestre solicitou que ele voltasse e colocasse mais chá na xícara do mestre.

Ao que o discípulo arguiu:

— Mas a sua xícara já está cheia!

O mestre, impávido, confirmou:

— Por favor, coloque mais chá em minha xícara.

---

1 - http://quemdisse.com.br/frase.asp?frase=70202#ixzz3nqRcvqFI

Nova argumentação de um, nova confirmação do outro.

O chá começa a transbordar para a bandeja, e o discípulo para.

O mestre insiste em sua solicitação: que quer que ele continue a colocar chá em sua xícara. O chá escorre pela bandeja e, desta, ao chão.

O bule fica vazio.

O mestre, então, indaga o discípulo:

— O que você aprendeu com isto?

O discípulo responde que nada, pois ele já sabia que o chá iria escorrer para a bandeja e para o chão.

O mestre diz:

— O ensinamento que isto nos traz é que para caber mais chá na xícara, ela precisa estar um pouco vazia. Em xícara cheia não cabe mais chá.

E continuou:

— Assim também somos nós.

E complementou:

— Assim é a nossa cabeça. Quando achamos que sabemos tudo, quando temos muitas certezas, quando a nossa cabeça está totalmente cheia de verdades, então, ela não tem espaço para mais nada; novos ensinamentos e percepções não conseguem chegar.

Concluindo:

— É necessário ter a nossa cabeça um pouco vazia para poder apreender as mudanças da realidade que nos cerca, sob o risco de nos divorciarmos da realidade.

O discípulo começou a entender. O mestre seguiu:

— As nossas certezas vêm do que vivemos no passado. Mas o passado já passou, e o que acontece hoje não pode ser interpretado à luz do passado. Isso seria o mesmo que caminhar em uma noite escura, para frente, em um caminho desconhecido, com uma vela acesa às nossas costas, iluminado o caminho já percorrido.

E finalizou:

— Relaxe e deixe sempre sua cabeça um pouco vazia para apreender o que o mundo lhe oferta de novidades e oportunidades.[2]

Algumas vezes, os participantes de um treinamento podem achar que já sabem tudo. Isso também acontece conosco. Quando achamos que sabemos tudo, limitamos as possibilidades de nos autodesenvolver e aperfeiçoar. Por este motivo, mantenha sempre viva a sua curiosidade com uma cabeça "um pouco vazia" para aprender e praticar coisas novas.

Quando iniciei a minha carreira na área de treinamento e desenvolvimento (T&D), mesmo tendo uma boa preparação, tenho certeza de que nenhuma técnica das diversas formações que fiz teriam sentido e utilidade se eu não as tivesse praticado.

Acredito que as pesquisas e os estudos sobre T&D podem agregar valor ao ensino. Não vejo outro caminho para o aperfeiçoamento a não ser praticar, praticar e praticar.

Não aguarde desenvolver *todas* as competências e técnicas de treinamento para enfrentar novos desafios. Você vai aperfeiçoar as suas habilidades de facilitador ao ministrar treinamentos. A vontade de se aperfeiçoar e a coerência entre o discurso e a prática fará de você um facilitador "master", diferencial entre o bom e o de ótimo facilitador.

Lembre-se de que o objetivo do treinamento é mudar os conhecimentos e as habilidades dos participantes. Caso você tenha contribuído para gerar esta transformação fugindo do modelo "o-facilitador-fala-e-o-participante-escuta", já merece meus aplausos.

O doutor Albert Khoury, meu pai, foi meu professor particular de matemática para me ajudar a resolver exercícios que, na época, pareciam complicados. Aprendi com ele uma lição que me fez mudar de perspectiva: enquanto eu quebrava a cabeça para resolver os problemas exatamente do jeito que minha professora da escola havia ensinado, ele me mostrava outras maneiras de solucioná-lo. Trago comigo o seguinte aprendizado: "existem várias formas de

---

2 – Fábula da Xícara de Chá. Adaptado de: http://merkatus.com.br/10_boletim/196.htm

se chegar a um mesmo resultado". Esta é uma lição de um professor que te faz enxergar além do problema em questão.

Antes mesmo de ler este livro, você já sabia muito sobre aprendizagem. Meu objetivo foi te inspirar a ampliar as possibilidades de ensino e te incentivar a se desenvolver continuamente. Espero ter contribuído com você nesta trajetória. Adapte estas ideias para a sua realidade. Agora está na hora de facilitar treinamentos brilhantes e de celebrar o caminho que você escolheu. Afinal de contas, ele é todo seu. Sucesso!

> *Você tem o seu caminho. Eu tenho o meu caminho.*
> *Quanto ao caminho exato, o caminho correto,*
> *e o único caminho, isso não existe.*
>
> **FRIEDRICH NIETZSCHE**

Bibliografia

Elaine Biech, *Training & Development for Dummies*. Hoboken, NJ: John Willey & Sons, Inc. 2015.

Elaine Biech, *Training* for Dummies. Hoboken, NJ: John Willey & Sons, Inc. 2005.

Harold D. Stolovitch e Erica J. Keeps, *Informar não é treinamento*. Rio de Janeiro: Qualitymark Editora Ltda., 2011.

Harold D. Stolovitch and Erica J. Keeps, *Telling Ain't Training* 2nd. Edition, Updated, Expanded and Enhanced. ASTD Press, Alexandria, Virginia, 2011.

Harold Stolovitch e Erica Keeps, *Beyond Telling Ain't Training Fieldbook Methods, Activities, and Tools for Effective Workplace Learning*. ASTD Press, Alexandria, Virginia, 2005.

Justin Arnesson, William J. Rothwell, Jennifer Naughton, *Competency Study The Training & Devolpment Proffession Redefined*. ASTD Press, 2013.

Joseph O'Connor e Ian McDermott, *The Art of Systems – Thinking Essential Skills for Creativity and Problem Solving*. London: Thorsons, 1997.

Joseph O'Connor e John Seymour, *Treinando com a PNL Recursos da Programação Neurolinguistica para administradores, instrutores e comunicadores*. São Paulo: Summus editorial: 1996.

Mel Silberman, *Unforgettable Experiential Activities, An Active Training Resource*. San Francisco, John Wiley and Sons, 2010.

Karim Khoury, *Vire a página: estratégias para resolver conflitos*. São Paulo: Editora Senac São Paulo, 2005.

Paulo Eduardo Laurenz Buchsbaum (pesquisa e seleção), *Frases geniais*. Rio de Janeiro: Ediouro, 2004.

Sharon Bowman, *Training from the back of the room: 65 ways to step aside and let them learn*. San Francisco: Pfeiffer 2009.

Sharon Bowman, *The ten minute trainer 150 ways to teach it quick and make it stick*. San Francisco: Pfeiffer, 2005.

Susan M. Weinschenk, *Apresentações brilhantes*. Rio de Janeiro: Sextante, 2014.

Tricia Emerson & Mary Stuart, *The Learning & Development book change the way you think about L&D*. Alexandria, ASTD Press, 2011.

Caso você tenha alguma dúvida,
o autor terá o maior prazer em esclarecê-la.

Karim Khoury
kkhoury@uol.com.br
www.karimkhoury.com.br

DVS EDITORA

www.dvseditora.com.br